マネジャーのための人事評価実践

"査定"のための評価から
"職場マネジメント"としての評価へ

(学)産業能率大学総合研究所
人事評価実践研究プロジェクト 編著

はじめに

　職場マネジャーの使命は、職場の仕事のクオリティーを高め、高い成果を上げることである。そのため、マネジャーには、部下を動機づけ、その能力開発を図り、恒常的に成果を創出できる職場を築いていくことが求められる。したがって、本来の人事評価は、そうした使命を果たすために、職場活動の現状診断や検証作業を伴ったものでなければならない。しかし、その実態はどうだろうか？　上司であるマネジャーも部下も人事評価の査定側面のみに意識が向き、事務手続き的に評価を行ってはいないだろうか？

　また、人事評価は、職場マネジメント活動の一環として実施されるべきものである。職場マネジャーが日ごろから部下と良好な関係を築き、信頼が得られるようなマネジメントを展開していないことには、人事評価の納得性や説得力は低いものになってしまう。あなたの組織の人事評価は、期末にだけ意識される年中行事になってしまってはいないだろうか？

　本書は、そうした状態を改善するために、現場第一線のマネジャーに正しい人事評価とマネジメントの方法を身につけていただき、さらに評価を通じて成果の上がる職場をつくっていくためのノウハウを習得していただくことを目的としている。評価に悩むマネジャーの皆さんはもちろん、評価者研修や評価制度の運用改善を考えている企業・組織の人事・教育ご担当者の方々にも、本書によって評価の本質を再考していただければ幸いである。

2009 年 9 月

執筆者一同

もくじ

はじめに

序章 マネジャーが行うべき評価とは　1

1. 人事評価に関する問題を解消するための３つの糸口 ……… 2
2. マネジャーが行うべき３つの評価 ……………………………… 8

第１章　人事評価のしくみと考え方　13

◆第１章の概要◆　14

[第１節] いろいろな評価のものさし ……………………………… 16
 1. 評価者が知っておくべき評価のものさし　16
 2. 能力評価　18
 3. 態度評価　20
 4. 成果評価　22
 5. コンピテンシー評価　24
 6. 評価要素の組み合わせと処遇の関係　26
[補足知識] 人材アセスメントと人事評価　28

[第２節] 人事制度と処遇の変遷 ……………………………………… 30
 1. 戦後日本の人事制度と処遇の変遷　30
 2. 生計型から年功型へ　32
 3. 年功型から能力型へ　34

4．能力型から成果型へ　　*36*
　　　5．成果主義とコンピテンシー評価　　*38*
　　　6．成果主義と職務等級制度・役割等級制度　　*40*
　　　7．人事制度と処遇の変遷から読み取れること　　*42*
[補足知識]　評価結果による処遇の傾向　　*44*

第3節　人事評価の目的 ……………………………… *46*

　　　1．組織にとっての人事評価の目的　　*46*
　　　2．人事評価の二重性　　*48*
　　　3．マネジャーにとっての人事評価　　*50*
[補足知識]　人材マネジメントと人事評価　　*52*

第2章　人事評価の運用原則と留意点　　*55*

◆第2章の概要◆　　*56*

第1節　人事評価の運用原則 ……………………………… *58*

　　　1．公正な評価を行うための5つの原則　　*58*
　　　2．[原則1]　期待する内容・水準を事前に示す　　*60*
　　　3．[原則2]　事実をシッカリと把握する　　*62*
　　　4．[原則3]　職務活動の事実に限定して評価する　　*64*
　　　5．[原則4]　組織の定めた規則・基準をもとに評価する　　*66*
　　　6．[原則5]　分析評価→総合評価の順序で評価する　　*68*
[補足知識]　人物評価には科学的な視点も必要　　*72*

第2節　留意すべき評価エラー ……………………………… *74*

　　　1．公正な評価を行うための留意点　　*74*
　　　2．ハロー効果　　*76*

3. 寛大化傾向　　*78*
　　　4. 中心化傾向　　*80*
　　　5. 対比誤差　　*82*
　　　6. 論理的誤差　　*84*
　　　7. その他の評価エラー　　*86*
　[補足知識] 自分の評価特性を知ることも大切　　*88*

第3章　評価スキルを高める　　*91*

　◆第3章の概要◆　　*92*

　[第1節] 成果評価の進め方 …………………………………………… *94*
　　　1. 成果評価のポイント　　*94*
　　　2. 目標を具体化する　　*96*
　　　3. 目標への合意を形成する　　*100*
　　　4. 目標の進捗管理を行う　　*102*
　　　5. 目標の達成度を評価する　　*104*
　　　6. 目標外の成果も評価する　　*106*
　[補足知識] バランス・スコアカードを目標管理に応用する　　*108*

　[第2節] 能力評価とコンピテンシー評価の進め方 ………………… *110*
　　　1. 能力評価のポイント　　*110*
　　　2. 評価基準を部下の課題に翻訳する　　*112*
　　　3. 評価基準を期待として伝える　　*114*
　　　4. 観察を通して判断材料を収集する　　*116*
　　　5. 日常の「報・連・相」を徹底する　　*118*
　　　6. 行動の再現性を検証する　　*120*
　[補足知識] コンピテンシーと能力　　*122*

第3節 成果評価と能力評価・コンピテンシー評価の関係……… *124*

  1．複数の評価要素が併用されるのはなぜか　*124*
  2．能力評価とコンピテンシー評価の重要性　*126*
[補足知識]「弱いから負けた」と語ったトップアスリートの評価は？　*128*

第4章　効果的なフィードバックの進め方　　　　*131*

◆第4章の概要◆　*132*

第1節 部下の動機づけが求められる背景…………………………… *134*

  1．部下の動機づけも人事評価の大きな目的　*134*
  2．成果主義の導入だけではモチベーションは上がらない　*136*
  3．組織主導の動機づけからマネジャー主導の動機づけへ　*138*
  4．マネジャー主導での動機づけのポイント　*140*
[補足知識] 外発的動機づけと内発的動機づけ　*142*

第2節 人事評価におけるフィードバック………………………… *144*

  1．評価を通じて部下を動機づけるには　*144*
  2．フィードバックとは　*146*
  3．人事評価における効果的なフィードバック　*148*
[補足知識] フィードバックとアドバイスの違い　*150*

第3節 評価からフィードバックまでの進め方 …………………… *152*

  1．評価フィードバックの重要性と手順　*152*
  2．面談の事前準備　*154*
  3．評価の事前面談の実施　*156*
  4．フィードバック面談の実施　*158*

[補足知識] 人事評価を通じて部下を成長させる　*160*

第4節　フィードバックをレベルアップする……………*162*
  1.　フィードバックでは人柄や適性も視野に入れる　*162*
  2.　部下の人間的な価値を見いだす　*164*
[補足知識] ジョハリの窓とフィードバック　*170*

第5章　マネジメント活動の評価　*173*

◆第5章の概要◆　*174*

第1節　評価から考える職場マネジメント……………*176*
  1.　職場マネジメントあっての人事評価　*176*
  2.　評価すべきマネジメント活動　*178*
  3.　マネジメント活動を評価するための視点　*180*
[補足知識] 目標管理とマネジメント　*182*

第2節　期首のマネジメント活動を評価する……………*184*
  1.　期首にマネジャーがすべきこと　*184*
  2.　職場ミッションを共有していたか？　*186*
[補足知識] 職場ミッションを明確にするには　*189*
  3.　職場ビジョンを共有していたか？　*190*
[補足知識] 職場ビジョンをまとめるには　*193*
  4.　職場の課題形成は正しくできていたか？　*194*
  5.　職場目標の設定は正しくできていたか？　*198*
  6.　部下の目標設定をリードできていたか？　*200*
[補足知識] よい目標を設定するためには　*202*

第3節 期中のマネジメント活動を評価する ……………………… 204

1. 期中にマネジャーがすべきこと　*204*
2. 進捗管理はできていたか？　*206*
3. 問題への対処は適切だったか？　*208*
4. 報告・連絡・相談は適切になされていたか？　*210*
5. 部下の指導・育成は適切だったか？　*212*
6. チームワークを引き出していたか？　*214*

[補足知識] PM型のリーダーを目指そう！　*216*

第4節 職場マネジメントの高度化 ……………………… 218

1. 自己評価がマネジメント力を高める　*218*
2. 評価とは継続的な成長のためにある　*220*

[補足知識] 権力におぼれてはいけない　*222*

参考文献　*225*

索　引　*226*

序章

マネジャーが行うべき評価とは

1．人事評価に関する問題を解消するための3つの糸口

（1）人事評価に関する3つの問題

　本文に入る前に、まず人事評価にまつわる現場の問題意識を、皆さんと共有しておきたいと思う。

　以下に登場する3人のメンバーはいずれも被評価者であり、人事評価に対して何らかの不満を抱いている。彼らの意見には、人事評価に関する典型的な問題点が内在している。まずは、それぞれの意見を聞いてみよう。

> **Aさんの問題意識**
>
> 　ほかの企業同様、当社にも従業員を公正に評価するために、人事評価制度が設けられています。しかし、自分たちがこの制度によって、公正に評価されているとは到底思えない状況です。会社の人事評価制度規定では、もっともらしい説明がなされているけど、そんなものはしょせん建前にすぎませんよ。結局は、上司の恣意的な評価が横行しています。それがわが社の人事評価の実態です。だから、地道にがんばって組織貢献するよりも、上司に気に入られるように振る舞う人間の方が評価が高いんです。
>
> 　皆がそう思って仕事をしているわけですから、上司と気の合う一部の人間だけがやる気満々で、ほかのメンバーのモチベーションは高いとはいえません。こんな状態が続いていては、優秀な人材がどんどん辞めてしまいます。公正な人事評価がなされるとよいのですが……。

公正な人事評価がなされていない！

Bさんの問題意識

　上司が行う評価は、部下の査定評価だけでよいのでしょうか？　部下の人間的成長を認める評価、部下の価値を認める評価、というものだって必要なのではないでしょうか。私たちは機械ではないのですから。

　小学生の通知表でも、教科学習の成績だけでなく、「情緒的・社会的発達」などについての評価コメントがあるではないですか。組織の評価も、少しは人間的側面を尊重すべきだと思います。

　処遇のための査定評価だけでは、職場は殺伐としてしまいます。もっと血の通った評価というものがなされるべきではないでしょうか。

査定評価だけでよいのでしょうか？

Cさんの問題意識

　私の場合は、そもそも今の上司に評価されることに納得していません。組織に所属している以上、皆が人事評価を受ける必要はあるでしょう。しかし、普段、マネジメントが出来ていないような上司が、期末だけ部下の評価をするなんて変じゃないですか。

　人事評価は、職場マネジメントの一環であるはずです。職場の目指す方向性を示したり、職場の問題解決や部下の成長支援に尽力したりしていない上司に、評価を行う資格があるのでしょうか？

　マネジャーであるならば、部下の評価だけでなく、自分自身のマネジメントもしっかり自己評価してもらいたいものです。

マネジメントが出来ていない上司に、評価を行う資格はない！

3人のメンバーの意見を聞いて、皆さんはどのように感じただろうか？「うちの職場は大丈夫。こんなことはない」「少なくとも、私は問題ない」と思われているかもしれない。しかし、上司本人は問題ないと思っていることが、部下の目には「大いに問題」と映っていることは往々にしてあるものだ。

　通常、職場のリーダーであり、評価者である上司に対しては、部下の期待は大きいものである。それだけに、マネジャーである皆さんは、部下から厳しく見られていると考えるべきだろう。「ずばり自分のことか？」と思わないまでも、それぞれの意見には少なからず思い当たる部分もあったのではないだろうか。

　そこで、3人のメンバーそれぞれの問題意識をもう少しかみ砕いて理解し、それらを解消するための糸口をつかんでおこう。

図表序-1　マネジャーは部下から厳しく見られている

私が行う評価に問題はないはずだ。

公正でない。

査定評価しかしていない。

マネジメントが出来ていない。

（２）Ａさんの指摘する問題を解消する糸口

　「公正な人事評価がなされていない！」というＡさんの指摘は、評価の問題を取り上げたとき、最もよく耳にするものである。Ａさんの組織ほどひどい状態ではないにしろ、評価の公正さについては、意外に多くの組織で問題視されている。もちろん、評価の正確さという意味では、ある程度は仕方がない部分もある。なぜならば、人事評価は人間が行う判断であり、そこには当然、ある程度のブレや幅が出てくるからである。

　しかし、成果主義が一般化し、人事評価の結果と人事処遇との結び付きが強まっている今日では、人事評価は誰にとっても大きな関心事である。そのような時代なのだから、従来にも増して公正で妥当な人事評価が求められているのだ。

　それだけに、企業・組織の人事教育部門は、人事評価制度の見直しや評価者研修などの教育に従来以上に注力しなければならない。そして、評価者であるマネジャーの皆さんには、従来以上に評価能力が問われている。公正で妥当な評価ができるよう、努力することが求められているのである。この努力こそがＡさんの指摘する問題を解消するための糸口である。

　皆さんは、人事評価制度の考え方、評価の原則や留意点などを十分に理解しているだろうか？　基本的な評価スキルを身につけているだろうか？　それなくして、公正な人事評価の実行はできない。マネジャーである皆さんは、人事評価の知識や勘どころをしっかりと押さえておく必要がある。

　「恣意的な評価が横行している」などと部下が思ってしまうようでは、もはやその職場のマネジメントは機能しない。そうなる前に、評価能力を高めておくことが大切である。

(3) Bさんの指摘する問題を解消する糸口

「上司が行う評価は部下の査定評価だけでよいのでしょうか？」というBさんの指摘はどうだろう。

もともと人事評価は、個々の従業員に貢献に見合った公正な処遇を行うことによって、その労働意欲や成長意欲を高め、結果として組織の競争力を高めようとするものである。ところが、近年、これが容易なことではなくなってきた。部下の価値観が多様化しており、かつてのように処遇として昇給やポストを与えるだけでは、すべての部下の労働意欲や成長意欲を高めることはできなくなっている。また、高度成長期のように十分な昇給やポストを用意できない組織側の事情もある。

「がんばれば給料が上がるぞ」「がんばって早く役職者になれるといいね」と励ましても、「がんばったところで、大して賃金は上がらないじゃないですか」「役職なんて魅力ないですよ」と反論されてしまう。それが今の職場の現実ではないだろうか。

そこで、昇給やポストの供与に代わって、マネジャーがいかに個々の部下に応じた動機づけをできるかが問われるようになってきた。Bさんがいっていた「部下の人間的成長を認める評価、部下の価値を認める評価」とは、そのためのものである。もちろん、評価だけで部下を動機づけることは不可能であるが、評価が重要なポイントとなることは間違いないだろう。

部下を評価する際には、"人事手続き上の査定"だけでなく、"部下の価値を認める"という意味での評価、つまり、評価時の「フィードバック」も大切なのである。Bさんの指摘する問題を解消するための糸口は、マネジャーが適切な「フィードバック」をしっかり実施する点にある。

(4) Cさんの指摘する問題を解消する糸口

「マネジメントができていない上司に評価を行う資格はない！」というCさんの指摘については、皆さんはどうとらえただろうか。

部下にここまでいわれてしまっては、マネジャーとしては何かやり切れない気持ちにさえなるだろう。しかし、Cさんが指摘していたとおり、「人事評価は、職場マネジメントの一環」だ。部下から信頼を得られるようなマネジメントを展開していないことには、実際、その評価に説得力はない。

マネジャーの皆さんは部下の評価だけでなく、自分自身のマネジメント活動も自己評価し、そのレベルアップを図る必要がある。それがCさんの指摘する問題を解消するための糸口となるだろう。

結局のところ、人事評価に関する典型的な3つの問題を解消するためには、以下に示す3つの能力、すなわち「評価能力」「フィードバック能力」「マネジメント能力」を高め、これらをしっかり実行することが肝要なのである。

図表序-2　人事評価に関する問題を解消するための糸口

- 部下の人事評価
  - 評価能力の向上
  - フィードバック能力の向上
- 自分自身の評価
  - マネジメント能力の向上

2. マネジャーが行うべき3つの評価

(1) 評価者である前に職場マネジメントの担い手であれ

　マネジメントはPDSサイクル、すなわちPlan（計画）、Do（実行）、See（評価）という3つの過程が循環することによって成り立っていることは皆さんもご存じのことだろう。このPDSサイクルを一事業年度で考えた場合、See（評価）の段階でマネジャーがすべきことは何だろうか？　前ページまでを読むまでは、多くの方が「人事評価」と答えたことだろう。しかし、それだけでは十分とはいえないということに気づかれたのではないだろうか。

　本来、一事業年度のPDSサイクルにおけるSee（評価）の機能は、次のPlan（計画）の高度化を図るためのものであり、次期の活動をよりよいものにしていくためのものである。昨年度より本年度、本年度より来年度というように、部下や職場の活動を継続的に改善し、さらなる成果の向上や成長・発展をさせるものでなければならない。つまり、See（評価）の段階は、次期の活動をレベルアップさせるための重要なプロセスなのである。

　しかし、人事手続き上の査定として人事評価を行っているだけでは、次期の活動をよりよいものにすることはできない。査定だけではPDSサイクルを回しているとはいえないし、「あなたはマネジメントができていない」と周囲から非難されてもしかたがない状態なのである。職場マネジメントのプロセス（Plan－Do－See）における評価（See）の段階は、そもそも部下の成長や職場の成果向上のためにある。マネジャーは、評価者である前に、職場マネジメントの担い手であることを忘れてはならない。

(2) 職場のマネジメントの視点から見た「評価」とは

図表序-3の左側に示すとおり、人事評価は組織の人事上の手続きの一環として行われるものである。そのため、その手続きを怠ったり、先送りしたりすることはできない。これに対して、「フィードバック」と「マネジメント活動の評価」はどうだろうか。これらは怠ったり、先送りしたりしても誰かから催促されることはない。それだけに、なおざりにしていないだろうか。

しかし、職場のマネジメントの視点から見れば、人事評価はSeeの段階で行うべき評価の1つにすぎない。人事手続きとしての「人事評価」だけでなく、部下の成長を支援するための「フィードバック」、さらには、職場の成果を向上させるための「マネジメント活動の評価」もしっかり実施することがマネジャーの役割なのである。

図表序-3 人事上の手続きと職場のマネジメント　人事評価の二重性

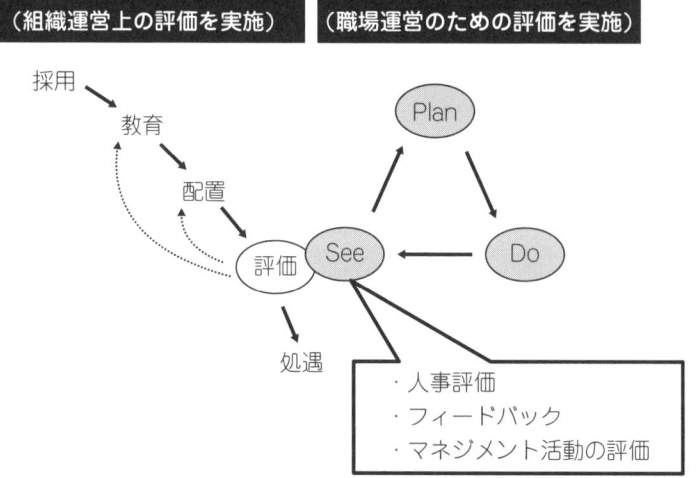

(3) 評価のくり返しが持続的な成長を可能にする

経営の神様といわれた松下幸之助は、以下の言葉を残している。

> 頭で考えて身で行なう。行なってまた頭で考える。それをくり返していくところに進歩向上がある。＊

Plan（計画）→ Do（実行）という単発のプロセスをいくら動かしてみても、それだけでは進歩向上は望めない。Do（実行）の後には必ず See（評価）を行い「頭で考える」。そしてよりよい Plan（計画）を立てて実行する。それをくり返していくことで、部下も職場も、さらにはマネジャー自身も進歩向上していくのである。

期末には、人事評価、フィードバック、マネジメント活動の評価をしっかり実施する。毎年度、それをくり返すことが部下や職場を進歩向上させていく。つまり、これら3つの評価についての理解を深めしっかり実行していけば、部下の人事評価への納得性を高められるだけでなく、部下や職場の持続的な成長をも可能になるのだ。

(4) 本書の構成

「人事評価がうまくいかない。だから、人事評価の学習をして評価能力を高める」、そうすることは大事なことである。しかし、それだけでは十分とはいえない。マネジャーが実施すべき3つの評価、すなわち、人事評価、フィードバック、マネジメント活動の評価をしっかり実施する能力を開発することが大切である。それが、結果的に人事評価の納得性を高めることになるし、部下や職場の持続的な成長をも可能にするのだ。

＊ 松下幸之助著『松下幸之助 日々のことば(上)』大活字文庫(2007)より引用

その点を踏まえ、本書では、図表序-4に示す構成で3つの評価能力を高めるためのポイントを解説していく。人によってはすでに十分に理解し、実行している事柄もあるかもしれないが、今後のマネジメントに活かせる新たな発見もできるはずである。どこかの個所で、自分にあった、使える知識や方法を発見し、身につけていただければ幸いである。

図表序-4　本書の構成

```
部下の          評価能力の向上
人事評価
                フィードバック能力の向上

自分自身        マネジメント能力の向上
の評価
```

```
第1章　人事評価のしくみと考え方
    第1節　いろいろな評価のものさし
    第2節　人事制度と処遇の変遷
    第3節　人事評価の目的
第2章　人事評価の運用原則と留意点
    第1節　人事評価の運用原則
    第2節　留意すべき評価エラー
第3章　評価スキルを高める
    第1節　成果評価の進め方
    第2節　能力評価とコンピテンシー評価の進め方
    第3節　成果評価と能力評価・コンピテンシー評価の関係
```

```
第4章　効果的なフィードバックの進め方
    第1節　部下の動機づけが求められる背景
    第2節　人事評価におけるフィードバック
    第3節　評価からフィードバックまでの進め方
    第4節　フィードバックをレベルアップする
```

```
第5章　マネジメント活動の評価
    第1節　評価から考える職場マネジメント
    第2節　期首のマネジメント活動を評価する
    第3節　期中のマネジメント活動を評価する
    第4節　職場マネジメントの高度化
```

第1章
人事評価のしくみと考え方

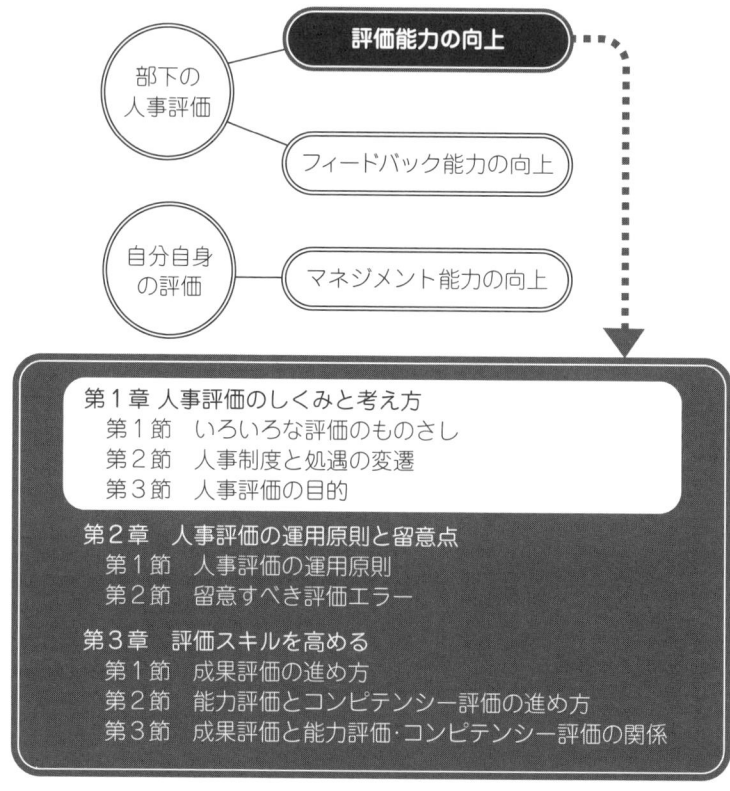

第1章 人事評価のしくみと考え方
　第1節　いろいろな評価のものさし
　第2節　人事制度と処遇の変遷
　第3節　人事評価の目的

第2章　人事評価の運用原則と留意点
　第1節　人事評価の運用原則
　第2節　留意すべき評価エラー

第3章　評価スキルを高める
　第1節　成果評価の進め方
　第2節　能力評価とコンピテンシー評価の進め方
　第3節　成果評価と能力評価・コンピテンシー評価の関係

◆第1章の概要◆

> 能力、成果…。あなたはどのような"ものさし"で評価されたいだろうか？

〔例題〕

　あなたは、あるカーディーラーの一営業マンであると仮定しよう。成績優秀なあなたは、ほかの同僚の2倍は車を売っており、誰もが認める成績No.1である。ところが、あなたの会社の人事評価制度では「能力」を重視しており、昇格テストに合格しないことには賃金は上がらない。そのため、仕事そっちのけでテスト勉強ばかりしている同僚の方が高く評価され、賃金も高い。

　さて、あなたはこのようなしくみに納得できるだろうか？　納得できないとしたら、どのような"ものさし"で評価されたいのだろうか？

皆さんは、前ページの例題にどう答えただろうか？「営業は売ってなんぼ」という世の常識からすれば、多くの人は「成果（成績）というものさしによって評価されるべきである」と考えたのではないだろうか。また、「こんなしくみのままでは優秀な人が辞めてしまうし、この会社はつぶれてしまう」とさえ思ったかもしれない。

しかし、そうとも言い切れない。「近い将来、この業界の営業マンには高度な知識が必要になる。当社は、その部分で競合他社との差別化を図りたい」、そのような戦略的な意図が経営側にあれば、能力重視の評価と処遇のしくみは理にかなったものである。人事制度とはその組織の人事に関するポリシーを制度化したものであり、そのための評価のしくみを定めたものが人事評価制度である。つまり、そこには従業員に「こんな行動をとってほしい」「こんな人材になってほしい」という組織のメッセージが込められている。

皆さんは、自社の人事制度のポリシーを理解しているだろうか？第1章ではそれを理解するための前提知識として、人事評価のしくみや考え方について図表1-1の流れで確認しておこう。

図表1-1　第1章「人事評価のしくみと考え方」の構成

第1節 いろいろな評価のものさし	第2節 人事制度と処遇の変遷	第3節 人事評価の目的
能力評価 態度評価 成果評価 コンピテンシー評価	生計型 ↓ 年功型 ↓ 能力型 ↓ 成果型	組織にとっての目的 マネジャーにとっての目的

第1節 いろいろな評価のものさし

1. 評価者が知っておくべき評価のものさし

(1) 人事評価制度は一言では言い表しにくいもの

「うちの会社も、とうとう成果主義を導入したんだ」
「業績重視の評価制度に変更されるらしいよ」
　昨今の日常会話の中では、そのようなヤリトリがなされることは珍しくなくなった。組織の人事評価制度の変更が、個人の賃金やキャリア形成、ライフプランなどに直接的に影響する今日、それはビジネスパーソンにとって大きな感心事であるからだろう。
　しかし、一口に「成果主義」「業績重視」といっても、その意味するところは組織によって実にさまざまである。成果や業績によって、毎年の年収が大幅に上下するような制度を導入した組織もあれば、賞与に多少の差がつくだけでそれ以外はまったくの年功そのものという組織もあるのが実態である。つまり、人事評価制度というものは、その実態となると一言では言い表しにくく、理解しにくいものなのである。

(2) 評価者が知っておくべき"評価のものさし"

　ちなみに、あなたの組織の人事評価制度はどのようなしくみになっているだろうか？　それを、今、簡潔に説明してほしいといわれて、すぐにうまく説明できる人はあまりいないだろう。なぜならば、前述のとおり人事評価制度に関しては、誰もが共通に理解している用語や知識は意外に少ないからである。しかし、そんな中でも、

ある程度共通して理解されている一般的な知識がある。その一般的な知識とは、"評価のものさし"に関するものである。図表1-2に示したものがそれで、多くの組織の人事評価制度は、大抵はこれらのものさしの組み合わせによってできている。

評価者であるマネジャーの皆さんは、人事評価という役割を担うからには、被評価者である部下に対して、自社の人事評価のしくみを説明できなければならない。そのとき役に立つのが評価のものさしに関する知識である。その意味で、それはマネジャー必須の知識といっていいだろう。

以降で、それぞれの評価のものさしがもつ特徴を確認しておくことにしよう。

図表1-2　評価者が知っておくべき評価のものさし

評価のものさし （評価要素）	評価方法
能　力	能力を評価する
態　度	態度を評価する （情意を評価する）
成　果	成果を評価する （業績を評価する）
コンピテンシー	コンピテンシーを評価する （行動を評価する）

2. 能力評価

(1) 能力評価とは

　能力評価とは、成果を出すために必要とされる能力の高低を評価するものである。部下の職務遂行における能力を評価し、その結果を能力開発や育成に役立てようとするもので、従業員を職務遂行能力に応じて資格等級に格付ける「職能資格制度」の下で実施されるケースが大半である。会社・組織ごとに定められた、職位・等級ごとに求められる職能要件に照らし、対象者が求められている成果を出すのに十分な能力を身につけているかを基準として評価する。

　なお、ここでいう"能力"とは、「仮に彼が○○の仕事をやった場合には○○のことができるに違いない」という潜在的な能力も含めた"保有能力"を指すのが一般的である。例えば、ポスト不足によって課長になっていない（昇進していない）従業員でも、課長相当の職務遂行能力があるに違いないと評価・認定されれば、職能資格制度の下では課長と同じ資格等級に格付け（昇格）され、ほぼ同等の処遇を受けることになる。

(2) 能力評価の利点

　かつての従業員を序列付けした職階制度の下では、どんなに能力が高くてもポストに空席がなければ役職に就けず、能力の高い従業員の処遇が頭打ちとなり、組織のモラルを維持するのが困難だった。能力評価と職能資格制度の組み合わせはそれを回避し、職務遂行能力に応分の処遇を可能にした。これによって、昇格に向けて全従業員の能力開発意欲が高められるという大きな効果が期待できる。

（3）能力評価の問題点

　大きな効果が期待できる能力評価ではあるが、それをうまく機能させるためにはいくつかの問題もある。

　第一に、そもそも能力は目には見えにくいものであるため、能力そのものの評価が難しいという問題である。

　また、能力評価の基準が経営計画の内容と直結しておらず、経営が要求する職務活動や能力と評価基準の間にギャップやタイムラグが生じやすい。つまり、経営と人事が遊離するわけである。

　このように能力評価は、能力主義をうたう割には経営に直結した人材開発という意味では不十分な面もある。こうした弱点を補うためには、評価者研修を定期的に行い、評価基準の解釈をすり合わせするなどの努力が必要となる。

図表1-3　能力評価の利点と問題点

3. 態度評価

(1) 態度評価とは

　態度評価は、職務を遂行するプロセスにおいて、どのような意欲、行動、取り組み姿勢で職務を遂行したか、部下の組織構成員としての執務態度を評価するものである。部下の仕事への意欲や姿勢を評価するので、「情意評価」「姿勢評価」などとも呼ばれている。部下の行動や姿勢が、評価者の目にどう映ったのかを評価するものだ。

　一般的な態度評価では、「積極性」「責任性」「協調性」「規律性」といった評価項目が設定され、評価項目ごとに分析的に評価していく。ちなみに、態度評価だけを単独で実施している企業・組織はまれで、ほとんどの場合、能力評価や成果評価と並行して実施されている。

(2) 態度評価の利点

　態度評価では、「能力をどのように建設的に方向付けているか（志向性）」とか、「困難に直面したときでも、しかるべき業績や成果が上がるまであきらめず取り組んでいるか（意欲）」「どのような仕事でも駒として動くのではなく、指し手感覚をもって判断しているか（主体性・自己効力感）」などの側面を評価することになる。

　このように、組織の共通目標実現のために努力する態度や勤労意欲を評価するものなので、職場モラールを高め、維持するというメリットがある。また、上司の立場としては、一生懸命やっている部下の姿勢を認めてあげるという温情を考慮できる性格をもつ。

(3) 態度評価の問題点

　態度評価は仕事の成果（業績）そのものや能力そのものを評価するものではないため、どうしても評価者は「頑張ったかどうか」という精神論に流されがちである。しかし、一生懸命やっていても業績が上がらないようでは問題である。

　また、客観的な評価基準がつくりにくいということもあって、評価者の恣意が入りやすい。結果として、成果の出ない部下の救済措置として態度評価で加点・調整するという運用になりかねない。さらに、温情による評価が行き過ぎると、真に貢献している他の部下のモチベーションの低下を招くことにもなるので注意が必要になる。

図表1-4　態度評価の利点と問題点

4. 成果評価

(1) 成果評価とは

　成果評価とは、職務活動の取り組みによって生み出された成果を評価するものである。一般には、期首に設定した目標を、6か月あるいは1年といった一定の期間中に、どのくらい達成できたかを基にして評価する。

　成果を出すための手段である従業員の能力を開発しようとするのが能力評価だったのに対し、従業員の業績や成果そのものをよりダイレクトに評価しようというのが成果評価である。したがって、組織によっては、業績評価と呼んでいるところもある。

　成果評価では、「目指す成果（業績）が何か」をはっきりさせなければ評価はできない。そのため、通常は目標管理制度の下、重点職務や重要成果を目標の形で表現し、その評価を行う。評価基準が経営計画の内容と直結しづらい能力評価などと比べ、人事制度にそうした戦略性（選択と集中）をもたらすことが多くの企業・組織で支持され、2000年代に入り急速に普及した。

(2) 成果評価の利点

　成果評価では、各自が設定した目標の達成率（達成度）を中心に評価がなされるため、個人ごとの貢献の事実が把握しやすく、年功や能力にもとづく評価に比べ、公正・妥当な評価が期待できる。そのため、業績向上・成果創出に貢献した従業員の働きに対してしっかり報いるという効果が得られる。それは、経済の低成長時代を迎えた現代の時代背景に沿うものでもある。

（3）成果評価の問題点

　一方で、成果評価は、6か月あるいは1年といった比較的短い期間での成果を見るものなので、従業員が短期的な目標達成に忙殺されるという問題が生じやすい。そのため、従業員が短期的な成果だけを追い求めるようになり、中長期的な課題への取り組みがなされなくなってしまうことがある。特に、中長期的な能力開発がおろそかになる傾向があるので、注意が必要である。

　また、目標の達成度合いを重視するため、運・不運が影響してもそれを十分には考慮しきれないという面もある。

　ただし、これらの問題は、職場マネジメントの展開次第で克服できることが多いものである。本書にもいくつかのヒントを掲載しているので、ぜひ参考にしていただきたい。

図表1-5　成果評価の利点と問題点

5．コンピテンシー評価

(1) コンピテンシー評価とは

　コンピテンシー（competency）とは、「ある状況またはある職務で高い成果を生み出すことのできる思考特性や行動特性」「成果に向けた意図のある行動をとる能力」のことを指す。つまり、成果に直結した行動そのものを評価しようというのがコンピテンシー評価であり、その性格から「行動評価」とも呼ばれることが多い。

　能力評価でいう"職務遂行能力"は、もともと職務遂行に必要な保有能力であり、潜在能力も含むものである。これに対して、コンピテンシーは成果を実現する上で不可欠な発揮能力であり、行動をともなった顕在能力を指す。同じ能力の概念ではあるが、両者のとらえ方は異なる。

(2) コンピテンシー評価の利点

　2項で述べたとおり、能力は目には見えにくいので能力評価ではその判定があいまいになりがちである。また、能力評価でいう能力は、必ずしも成果に貢献するとは言い切れない部分もある。そこでコンピテンシー評価では、評価の視点を能力から行動、しかもあくまで成果に結び付くような意図のある行動に移すことで、より成果志向で具体的な評価ができるようにした。

　実際には、職種・階層ごとに整理されたコンピテンシー・ディクショナリという基準に照らし、対象者が成果を出すために求められている行動がとれていたかどうかを評価する。行動した事実をもって能力を評価するわけである。

(3) コンピテンシー評価の問題点

コンピテンシー・ディクショナリは、能力評価で活用する職能要件書に似ているが、各要件が「〜している」「〜できる」という具体的な行動レベルの文章表現で記述されているところが特徴といえる。しかし、あまりに具体的すぎると実態と合わない部分が出てきてしまったり、早く陳腐化してしまうため、その基準にはある程度の抽象度が残っているものである。

したがって、能力評価同様、評価者にはそれなりの評価スキルが求められる。能力評価がコンピテンシー評価に置き換えられたからといって、評価者の負担が軽減されるわけではない。そのため、現場主導でコンピテンシー・ディクショナリを使いやすいものに改訂するなど、運用面での工夫も求められる。

図表1-6　コンピテンシー評価の利点と問題点

6．評価要素の組み合わせと処遇の関係

（1）評価要素の組み合わせの一般例

　さて、人事評価のいろいろな"評価のものさし"を紹介したが、これらは正確には「評価要素」と呼ばれており、多くの組織の人事評価制度は、大概はこれらのいくつかを組み合わせてできている。

　図表1-7に、組み合わせの例をひとつ示しておこう。この例では、成果評価、能力評価、態度評価の3つを組み合わせて人事評価を行っているが、能力評価と態度評価をコンピテンシー評価に置き換えるなど、その組み合わせは、企業の人事ポリシーによってさまざまである。

　また、この図表から、それぞれの評価結果はウエート付けされ、賞与、昇給、昇進・昇格などの処遇面に反映されているのがご理解いただけるだろう。これらのウエート付けや反映先も、組織により、さらに階層（格付け）によっても異なるのが一般的である。

図表1-7　X社の事例（評価要素の組み合わせ）

評価要素 ＼ 評価の機会	上期・下期の人事評価	通期の人事評価	昇進・昇格選考時の人事評価
成果評価	○		△
能力評価		○	○
態度評価	△		△
マネジメント面での活用	次期の能力開発・次期の目標設定		配置・異動 長期的能力開発
処遇面での活用	賞　与	昇　給	昇進・昇格

（注）表中の○印はウエートの高いもの、△印はウエートの低いものを示す。

（2）自社の人事評価制度の構成を理解しておこう

　皆さんは、自社の人事評価制度がどのような評価要素によって構成され、どのように処遇に反映されているか、正確に理解しているだろうか？　評価者であるならば、それは最低限理解しておくべきことである。

　ここで、図表1-7を参考にして、自社の人事評価制度の構成と処遇の関係を以下の表に整理し、あらためて理解しておくとよいだろう。

評価要素＼評価の機会			
マネジメント面での活用			
処遇面での活用			

補足知識　人材アセスメントと人事評価

■□2つの人事評価

　本書では、「評価期間中の職務活動の事実から、その人の成果、態度、能力等を評価すること」を指して"人事評価"と呼んでいる。これは、評価者である皆さんの大半が理解している人事評価の理解と同一だろう。組織によっては「人事考課」「勤務評定」「執務評価」「人事査定」などと呼ばれていることもあるが、基本的にそれらは皆、同じものを指している。

　しかし、組織で実施される"人事評価"には、実はもうひとつ別のものがある。それは「人材アセスメント」と呼ばれるものだ。人材アセスメントは適性評価とも呼ばれるように、役職任用などの事前審査として任用前に行う試験や、職務配置を決める調査などのことを指す。入社試験（採用試験）も、一種の人材アセスメントということができる。

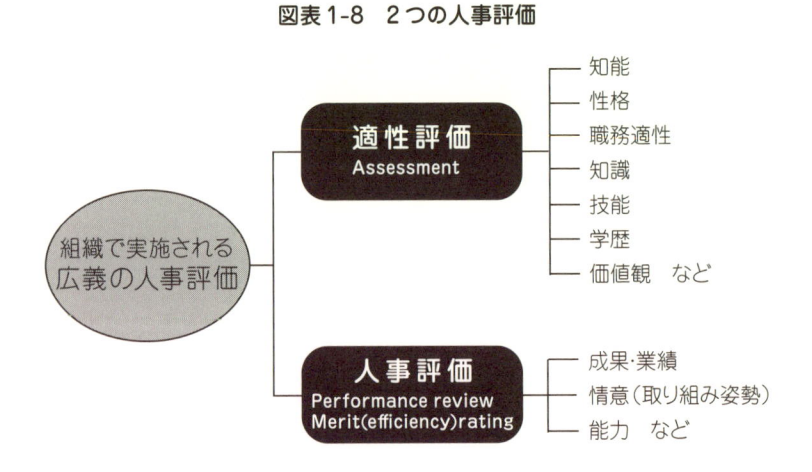

図表1-8　2つの人事評価

組織で実施される広義の人事評価
- 適性評価 Assessment
  - 知能
  - 性格
  - 職務適性
  - 知識
  - 技能
  - 学歴
  - 価値観　など
- 人事評価 Performance review / Merit(efficiency)rating
  - 成果・業績
  - 情意（取り組み姿勢）
  - 能力　など

■ 事前評価と事後評価

　人事評価と人材アセスメントを比較したのが、図表1-9である。人事評価が「職務活動を事後評価」するものであるのに対し、人材アセスメントは「その人の将来を見据えて行う事前評価」である点が大きな違いである。

　例えば、「彼を課長にすべきか否か」という判定をするためには、実際の課長としての仕事ぶりを見ないうちに、未来予測としての判断が求められることになる。このように、課長に任用する前に昇進の可否を審査するような場合には、人材アセスメントが有効となる。

図表1-9　人材アセスメントと人事評価の比較

	人材アセスメント（適性評価）	人　事　評　価
目的	職務適性、管理職適性を事前に判定する。	評定期間中の職務活動の事実を事後に判定する（職務事実の観察が不可欠）。
評価の視点	性格や知能、価値観などを含む広い意味での人物判定。「人事測定」として人物特性を数値で表すのが特徴。	当該職位に期待・要求される成果や能力が期待水準から見てレベルに達しているか、そのパフォーマンスを中心に見る。
評価者	人事部門やアセッサーと呼ばれる専門家が主体となって評価する。	直属上司が主体となって評価する。
評価場面	非日常の演習場面やテストの観察によって判定することが多い。測定ツールとしては、 ・適性テスト ・多面観察ツール ・アセスメントセンター方式 などがある。	日常の職務活動を通じて評価判定する。

第2節 人事制度と処遇の変遷

1. 戦後日本の人事制度と処遇の変遷

（1）人事制度は戦略に従う

　アメリカの経営学者アルフレッド・D・チャンドラー Jr.の名言に「組織は戦略に従う」という言葉がある。「まず戦略ありきで、それに合わせて最適な組織を設計していくべき」との主張であるが、人事制度にも同様のことがいえる。まず経営レベル、事業レベルの戦略があって、その実現のために人材マネジメント戦略が練られ、さらにその実現のための手段のひとつとして人事制度は設計されるべきものである。「人事制度は戦略に従う」といってもよいだろう。

　その意味で、時代を越えて「普遍的に絶対的によい」人事制度というものはありえない。各社各組織の人事制度は、時代時代の戦略を受けて進化してきたものだ。戦略が具体化されているかどうかは別にして、皆さんの組織の人事制度も自組織が展開しようとする戦略を受けて設計されているはずである。

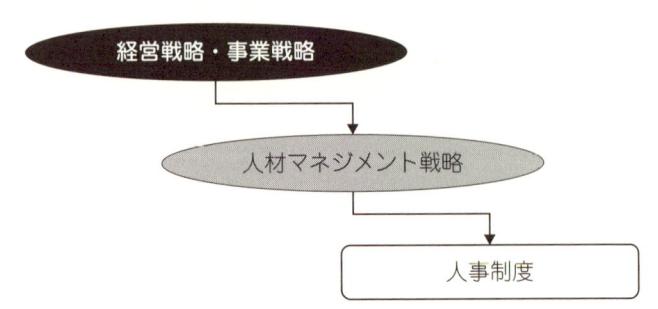

図表1-10　人事制度は戦略に従う

経営戦略・事業戦略
↓
人材マネジメント戦略
↓
人事制度

(2) 戦後日本の人事制度と処遇の変遷

さて、前節ではいろいろな"評価のものさし"すなわち評価要素の特徴を紹介したが、本節では、評価者の一般知識として「人事制度と処遇の変遷」について理解する。図表1-11に見るように、戦後、日本企業の人事制度は、時代時代の環境変化を受けて、「生計型→ 年功型 → 能力型 → 成果型」と変化してきた。それぞれの制度がどのような評価のものさしを重視してきたのか、処遇との関係も併せてその変遷を確認しておこう。

また、そこからは、皆さんの組織の人事制度が戦略実現のためにどのようなねらいをもって進化し現状のものに至ったのか、現在どのような課題を抱えているのか、といったことも読み取ることができるだろう。

図表1-11 人事制度と処遇の変遷

人事制度の型	中心的な評価	一般的な処遇制度（賃金面）	時代背景
生計型	―	生計給	1945年 敗戦
年功型	年功序列	年齢給 勤続給	1950年 朝鮮戦争
能力型	能力評価 態度評価	能力給と年齢給の併存	1964年 東京オリンピック （高度経済成長） 1971年 オイルショック
成果型	成果評価 コンピテンシー評価	成果給と能力給の併存 ↓ 年俸制ほか、各社各様に？	1985年 円高ショック 1991年 バブル不況 2008年 100年に一度の経済危機

2. 生計型から年功型へ

(1) 年功序列制度の普及

　戦後間もない日本では、仕事は生活をしていくための手段であり、企業・組織における人事処遇は生活の保障を目指すものであった。つまり、このころの人事制度は制度としての体裁をなしていなかったとしても「生計型」ということができるだろう。しかし、その後、高度経済成長期を迎えると、多くの組織では年功によって従業員を序列づけ、その累積によって昇進や昇給する年功序列制度をもって労働秩序の維持や安定を図るようになっていった。

　"年功"とは、本来、年齢、入社年次、勤続年数、経験年数などに基づいて人の能力が習熟し、その結果として組織にもたらされた「年来の功績」を指す。ただし、その功績は売上高や利益などの直接的な業績や成果だけに限らない。年齢や勤続年数でなかば自動的に昇進したり、賃金などの処遇が向上していくのが年功序列制度の運用の実態であった。

　このように、年功序列制度は勤続年数や年齢を功績の代用指標として用いるシンプルなしくみであり、以下のメリットがあった。

①勤続年数や年齢という客観的な指標にもとづいて処遇が決まるため、評価者の評価能力不足や判定ミスという問題が生じにくい。
②年齢や入社年次、勤続年数などで従業員を集団的に人事管理できるため、手間がかからず管理効率がよい。
③同じ組織に長く所属するほど処遇がよくなることから、従業員の長期勤続意欲を引き出し、定着率が高まる。

（2）年功序列制度の行き詰まり

　しかし、年功序列制度は、2つの大きな問題に直面する。ひとつは、「年齢や勤続年数を重ねて経験を積み、能力を開発していけば功績は増していく」とする前提が崩れてしまったことだ。技術革新のサイクルが速くなり、仕事によっては習熟するより陳腐化速度の方が勝る時代が到来したからだ。

　もうひとつは、いわゆる賃金（人件費）の下方硬直性が経営上の大きな負担となったことである。年功序列制度の下では個々の従業員の賃金が年々上昇し、当然人件費総額も右肩上がりで増えていく。こうした中で組織が成長を持続させていくためには、賃金上昇に見合っただけの生産性向上を実現しなければならない。しかし、経済が低成長時代を迎えたことで両者の均衡は崩れ、年功に基づく処遇は事実上不可能となった。

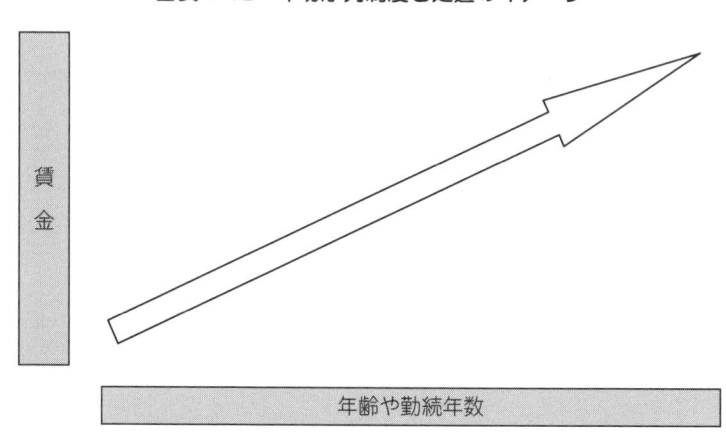

図表1-12　年功序列制度と処遇のイメージ

年齢や勤続年数を重ねて経験を積み、能力を開発していけば功績は増していく。だから処遇もよくなっていく。

3. 年功型から能力型へ

(1) 能力主義人事制度の普及

　年功に基づく評価・処遇が行き詰まりに直面するなか、1973年の第1次オイルショックを契機として、従業員の能力評価を重視する能力型の人事制度が急速に普及した。これは、いわゆる職能資格制度のことで、能力評価と態度評価を重視し、その結果を能力開発や育成に用いようとする点で大きな特徴をもっている。

　当時の時代背景や経営環境を考えると、職能資格制度には人事政策や組織運営から見て、いくつかの大きなメリットがあった。ひとつは、昇進と昇格を分離させ、併存させたことだ。これは低成長にともなうポスト不足からくる従業員のモチベーションダウンを防ぐ手立てとして優れたやり方であった。「昇進」とは何らかの役職位（ポスト）に就くことであり、「昇格」とはより上の資格等級に格付けられることである。職能資格制度では、これを明確に区分して運用する。また、同一資格等級なら同一の賃金（処遇）であるため、定期的な人事異動や、社会経済環境の変化にともなう人員の職種転換など、柔軟な人員配置も可能である。

　2つ目のメリットは、従業員の能力開発意欲を刺激するしくみであるという点である。職能資格制度の下では、従業員は年功ではなくその職務遂行能力が評価され処遇が決められる。「職務遂行能力を高めれば処遇が上がる」ことになるので、従業員には自分の能力開発に取り組もうというインセンティブがはたらく。また、その上司も能力評価を行うことで自ずと部下の育成を重要な役割と認識し、部下指導や育成型の評価に熱心に取り組むという効果も生んだ。

（2）職能資格制度の限界

　年功序列制度と比べてさまざまな長所の見られる職能資格制度ではあるが、いくつかの問題も抱えている。最も大きな問題は、現実の運用では年功的になりやすいということである。職能資格制度では、職能要件書を基準として能力評価を行い従業員の処遇を決めることになるわけであるが、職能要件書の当該資格等級に必要とされる保有能力の記述は抽象的なものが多い。そのため、評価者は部下の能力の高低を判断しきれず、年齢や勤続年数のもつ客観性に流されやすい。

　また、当期の職務活動を評価基準と照らして評価するため、本人の年々の伸びを見ない静態的な評価になりがちである。能力主義の評価目的である育成という趣旨に照らせば、昨年までの自分自身と比べてどの面が成長し、どの点に問題があるのかを明らかにすべきだが、そうした運用になっていないケースも多い。

図表1-13　職能資格制度と処遇のイメージ

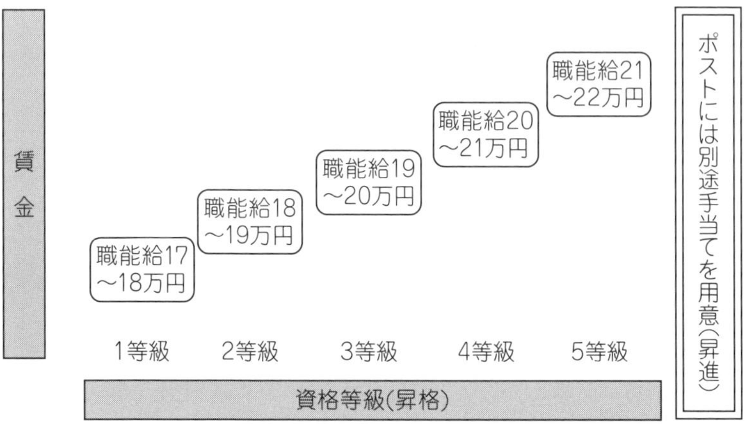

```
賃金
                                              職能給21
                                              〜22万円
                                    職能給20
                                    〜21万円
                          職能給19
                          〜20万円
                職能給18
                〜19万円
      職能給17
      〜18万円

      1等級    2等級    3等級    4等級    5等級
              資格等級（昇格）
```

ポストには別途手当てを用意（昇進）

4. 能力型から成果型へ

(1) 成果主義人事制度の普及

　2000年代に入り日本経済が低成長時代を迎えると、どの企業にも限られた原資の配分を公正・妥当に行うための新たなしくみが必要とされるようになった。それまでの年功や能力にもとづく評価では個人ごとの組織貢献についての事実把握があいまいになりがちなため、このままでは特にハイパフォーマー（高業績者）のモラールダウンや離職を避けられないと考える組織が多くなったのである。

　そこで、成果評価を重視する「成果主義（業績主義）人事制度」が注目されるようになった。成果評価では、目標という重点職務や重要成果を軸に評価を行う。各自が設定した目標の遂行状態を中心に評価がなされるため、公正・妥当という面でかなりの改善が期待できるからである。

　"成果主義""業績主義"という言葉のニュアンスからすると、1年単位で報酬を決定する年俸制や出来高による歩合給など、従業員個人の成果（業績）を賃金にダイレクトに反映する制度と理解されるかもしれない。しかし、実際には、成果評価を行ってその結果を賃金や賞与に反映させて、従来よりもメリハリのある処遇を行うようにした制度を指して成果主義人事制度と呼ぶケースの方が圧倒的に多い。つまり、多くの場合は、以前からある職能資格制度を残したままそこに成果評価をビルトインしたのが、成果主義人事制度の一般的な形である。

（2）成果主義人事制度が抱える問題

能力主義人事制度の制度疲労を解消すべく生まれてきた成果主義人事制度だが、導入された当初は以下のように実に多くの問題が指摘された。

- 皆が「達成しやすい低い目標」を設定してしまう
- 職務遂行プロセスのマネジメントが機能しなくなってしまった
- 部下間の協力がなされないようになった

しかし、組織ごと現場ごとにしくみや運用の改善がなされ、これらの問題は近年ではかなり克服されてきている。

図表1-14　一般的な成果主義型人事制度

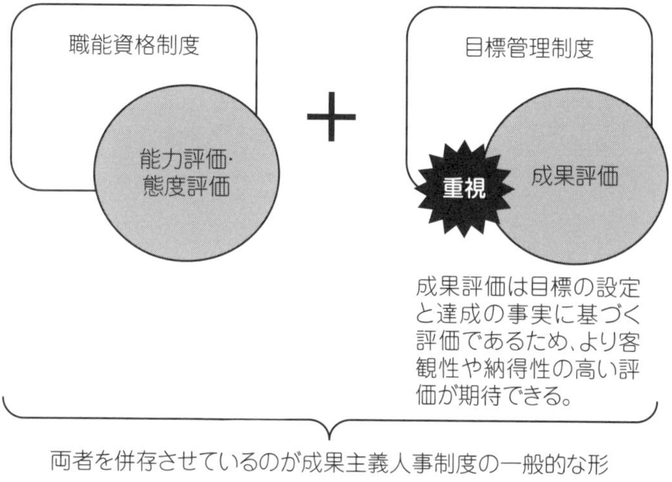

職能資格制度（能力評価・態度評価）＋目標管理制度（成果評価）【重視】

成果評価は目標の設定と達成の事実に基づく評価であるため、より客観性や納得性の高い評価が期待できる。

両者を併存させているのが成果主義人事制度の一般的な形

5．成果主義とコンピテンシー評価

（1）コンピテンシー評価の導入

　何らかの成果評価を行っているという意味で、成果主義人事制度は日本で最も一般的な人事制度であるといってよいだろう。しかし、同じ成果主義人事制度であっても、各社各様にいろいろな改善を進めてきているのが実際である。そんな潮流の中で、ある程度普及したもののひとつがコンピテンシー評価の導入である。

　成果主義の下では成果評価が重視されるわけだが、成果評価ではどうしても期末における最終的な実績（結果）だけの評価に陥る傾向がある。成果を上げるための、活動プロセスにおける行動の質や量としての貢献が考慮されにくい。これに対して、コンピテンシー評価は、成果を上げるための活動プロセスにおいて、いかなる成果行動をとっているかを評価基準としている。

　つまり、コンピテンシー評価は、成果評価では評価しにくい活動プロセスを評価するものであり、成果評価の弱点を補完するしくみと位置づけることができる。

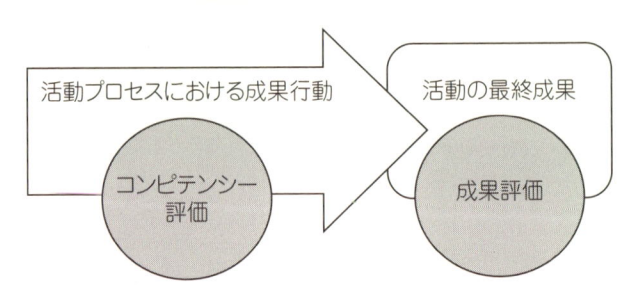

図表1-15　一般的な成果主義型人事制度とその処遇

(2) コンピテンシーの効果的な活用

　コンピテンシーは、もともとは人事評価のツールとして生まれてきたものではない。企業が独自の人材マネジメントを展開するために、人材を採用したり、育成するための基準とすることを意図して誕生したものである。したがって、評価場面だけでなく、人材育成の指針として活用するなど、全社的な人材マネジメントの展開に活かしてこそ真価を発揮する。

　コンピテンシーを採用している組織では、そういった活用をより積極的に行うべきだろう。人事評価も人材マネジメントの一環という位置づけが明確になり、より効果的な運用ができるようになるはずである。

図表1-16　コンピテンシーの大分類の一例

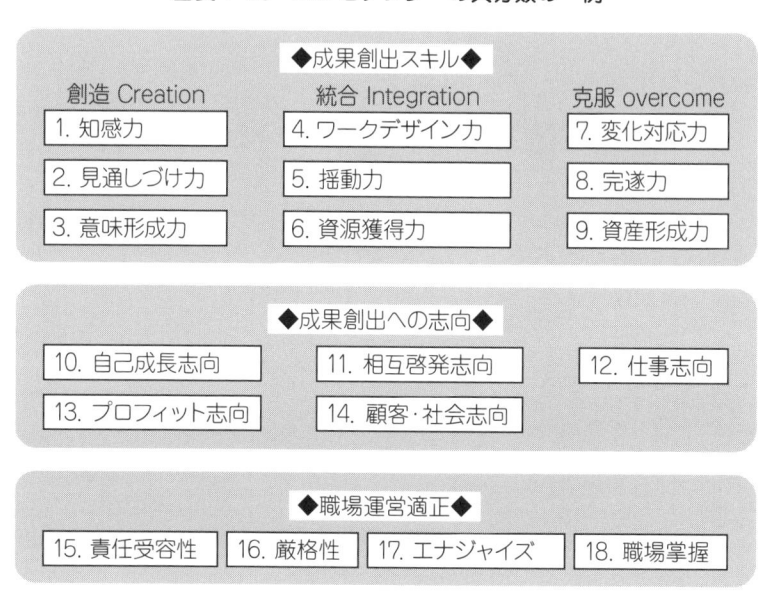

◆成果創出スキル◆

創造 Creation	統合 Integration	克服 overcome
1. 知感力	4. ワークデザイン力	7. 変化対応力
2. 見通しづけ力	5. 揺動力	8. 完遂力
3. 意味形成力	6. 資源獲得力	9. 資産形成力

◆成果創出への志向◆

10. 自己成長志向	11. 相互啓発志向	12. 仕事志向
13. プロフィット志向	14. 顧客・社会志向	

◆職場運営適正◆

15. 責任受容性	16. 厳格性	17. エナジャイズ	18. 職場掌握

（出典：プロ人材アセスメント資料（学校法人産業能率大学）より引用）

6．成果主義と職務等級制度・役割等級制度

(1) 職務等級制度の特徴

　成果主義人事制度の改善策として、一部で「職務等級制度」（job grade system）を導入する組織も見られるので、簡単に紹介しておこう。"職務"とは、従業員各人が担当している仕事のことを指す。その職務に難易度や重要性などの基準に応じてあらかじめ賃金の値段を付け、そこに人を割り付けて管理をするしくみが職務等級制度である。端的にいうと、職務分析によって明らかにされた職務等級（職務グレード）の基準に従業員を格付けし、同一職務同一賃金を原則として人事管理を行うものである。

　しかし、実際には、同じ職務等級であっても、各人の仕事の担当範囲や習熟度にはある程度の差があるもので、そのため同一職務であっても、賃金には一定の幅をもたせている組織も多い。

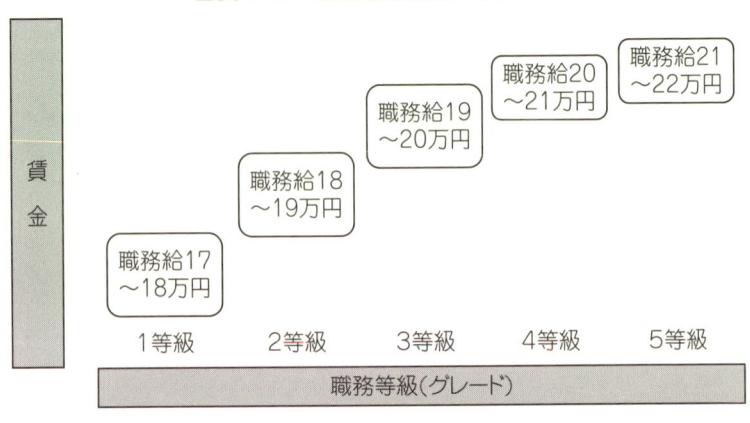

図表1-17　職務等級制度のイメージ

縦軸：賃金／横軸：職務等級（グレード）

- 1等級：職務給17～18万円
- 2等級：職務給18～19万円
- 3等級：職務給19～20万円
- 4等級：職務給20～21万円
- 5等級：職務給21～22万円

職務評価の下では、職務グレードが同じであれば、転職しても賃金はほぼ同一。

(2) 職務等級制度の導入形態

　オペレーター、ドライバー、職人など、仕事内容が比較的定型化しており、"世間並み"の給与水準が明らかな職種には、職務等級制度は合理的である。職務等級が仕事を基準としたものであるため、能力基準の職能資格よりも格付けの基準が明確だからだ。人事評価を含め人事管理全般がやりやすいため、同一の職種でキャリアアップを目指す従業員が集まっている組織や部門であれば、効果的に活用することが可能である。

　一方で、非定型業務の職種には適用しにくく、組織内の柔軟な人員配置や組織改革も行いにくいという性質がある。そのため、特定部門、特定職種に限定して導入する組織も見られる。

　また、担当職務さえ遂行していれば一定額の職務給が支給されるため、チャレンジ精神や変革意欲などが期待しにくいという弱点もある。そのため、成果評価と併用することで、それを解消するなどの工夫も求められる。

(3) 役割等級制度の登場

　さらに近年では"職務"を"役割"に置き換え、それぞれの役割に求められるアウトプット責任を基準とする役割等級制度を導入する組織も見られる。役割によって非定型業務の従業員も格付けし、より実態に合った人事管理を行おうというわけである。この場合でも、成果評価と併用することで処遇にメリハリをつけるようにしているのが一般的である。

　このように一口に成果主義人事制度といっても、そのしくみや運用は組織によってさまざまな態様になっている。

7．人事制度と処遇の変遷から読み取れること

（1）評価者としての能力が問われる時代

　人事制度と処遇の変遷を追って見てきたが、おおまかな傾向として、能力型の時代までは「"人"を見て評価・処遇する」という方法で一貫していた。一方、成果型の導入時期からは「"仕事"を見て評価・処遇する」という考え方に軸足が変化しているといえる。

　その理由は、人事評価の結果が処遇に反映される割合が高まり、厳密な評価が求められるようになったからにほかならない。人基準・能力基準より仕事基準の方が、より客観性が高い評価が期待できるからである。それだけに、皆さんの評価者としての評価能力も、これまで以上に問われるようになってきているといえるだろう。

（2）人事制度は組織のメッセージ

　人事制度と処遇の変遷からは、もうひとつ読み取れることがあった。それは、人事制度はその時代時代に適応すべく、企業の戦略の一環として変化してきたということである。

　人事制度とは、組織の戦略を実現するために、「どのような基準で従業員を評価し、処遇するのか」という組織の価値観や人事管理に関するポリシーを明らかにしたものである。つまり、そこには組織が戦略を実現するために、「このような人材になってほしい」「このような能力を開発してほしい」という組織のメッセージが込められている。評価者である皆さんはそのメッセージをよく理解した上で、評価場面を通して部下に浸透させていかなければならない。人事評価には、そういった役割があることも理解しておこう。

(3) 自社の人事制度の意図を理解しておこう

　皆さんの組織の人事制度は、どのような型でどのように構成されているだろうか？　本節での解説を参考にして、以下の表に書き出しておこう。

　また、そこにはどのような組織の意図（メッセージ）が込められているだろうか？　組織の戦略との関係も考え併せて書き出し、この機会に確認しておくとよいだろう。

人事制度の型	評価要素	処遇制度（賃金面）

組織のメッセージ

補足知識　評価結果による処遇の傾向

■□「能力は昇給、成果は賞与への反映」が一般的

　人事評価の結果としての処遇を大別すると、賃金・給与面と昇格や昇進面があり、評価結果の反映ウエートによってそれぞれの処遇が決まる。そのウエートは、組織によってさまざまであるが、近年では、図表1-18に示すように、能力評価の結果を月例給の昇給幅に、成果評価の結果を賞与に大きく反映させる組織が多い。

　これは、能力は中長期的に開発されていくものであり、その期ごとに高くなったり低くなったりするものではないという能力主義的な考え方と、仕事の成果はその期の成績として短期に清算すべきとする成果主義的な考え方にならったものである。つまり、中長期的なインセンティブ機能を昇給に、短期的なインセンティブ機能を賞与に期待することで両者のバランスをとっているのである。

図表1-18　評価結果の処遇への反映例

評価の種類		処遇／インセンティブ 賃金・給与		任用・登用	
		月例給（昇給）	賞与	昇格	昇進
評価要素	能力評価	◎	△	◎	○
	成果評価	△	◎	○	○
	態度評価	○	○	○	○
人材アセスメント		×	×	◎	◎

◎:ウエート大　○:ウエート中　△:ウエート小　×:ウエートゼロ

■ 役職任用と昇格はどう決めるべきか

一方、役職への任用や資格等級のアップとしての昇格はどうだろうか？ これについては従来どおり、過去の能力評価や成果評価の結果を参考に決定されることが多いようである。ただし、「名プレーヤー名監督にあらず」という言葉のとおり、プレーヤーとしての能力や過去の実績が高ければマネジャーとしての適性もあるという保証はない。そのため、その人の将来を見据えた事前評価として、人材アセスメントを実施して役職任用を決定する組織も増えてきている。

つまり、成果を上げた人には賞与で報い、高い能力をもつ人には昇進・昇格を通じて活躍の場を与えるという、すみ分けがなされているわけである。多くの企業は、昔からいうところの「功ある者には禄を、能あるものには職（地位）を与えよ」を体現しているのだ。

■ 昇進を処遇ではなく配置替えととらえる人事施策

さらに近年では、昇進（役職任用）を処遇ではなく組織上の"配置替え"ととらえる人事施策も見られるようになってきた。配置替えとは通常は部署間の人事異動を指すが、それを横の異動ととらえれば、職制の変更は縦の異動ということになる。管理職というポストが誰にとっても魅力的とはいえなくなった昨今では、このような考え方も理にかなっているといえるだろう。

ただし、この場合の昇進は、過去の評価データを踏まえた上で、本人の将来を見据え、今後のキャリア形成を支援するという観点から行うべきものである。そうなると、人事評価には"査定"よりも、"キャリア支援"という機能が重視されることになるだろう。

第3節 人事評価の目的

1. 組織にとっての人事評価の目的

(1) 組織にとっての人事評価の目的は、処遇、教育、配置

　前節では人事制度と処遇の変遷について見てきた。その過程からは、人事評価の主たる目的のひとつが従業員の"処遇"であることは十分にご理解いただけただろう。ただし、賃金、昇進・昇格などの処遇を決定することだけが人事評価の目的ではないので、ここでその点を確認しておこう。

　人事評価の実務は、まず現場の評価者である皆さんによって行われる。そして、各職場で実施された人事評価の結果データは人事部門や上層部に送られ、そこでは従業員の処遇だけでなく、全社的な教育や配置を決定するための情報として活用されることになる。

　「生産部門では、能力開発が進んでいない部下が目立つ。原因を明らかにして研修機会を設ける必要があるかもしれない」（教育）、「営業部門のAさんは、企画をする能力が非常に高いようだ。優秀な人材を求めている商品開発部門に異動させたら一層の活躍が期待できるのではないだろうか」（配置）といった具合に、人事評価は人事施策のかじ取りを行う際の裏づけデータを提供するものである。

　このように考えると、組織にとっての人事評価の目的は、大きく処遇、教育、配置の3つであるということがおわかりになるだろう。人事評価は、各従業員の処遇を決定するためだけのものではなく、組織の人材マネジメントを効果的に遂行するための情報源でもあるのだ。

（2）人事評価は人材に関する情報把握手段のひとつ

　経営環境がダイナミックに変化する今日、人材は最も重要な経営資源と位置づけられる。そのため、組織にとって人材に関する的確な情報の把握は不可欠だ。その情報把握手段のひとつが人事評価ということになる。

　したがって、現場からの情報は正確で信頼のおけるものでなければならない。そうでなければ、組織の人材マネジメントに支障をきたすことになる。その意味では、実際に現場で人事評価を実施するマネジャーの皆さんの責任は大きい。

　たしかに人事評価には、「部下の処遇を決める査定」という大きな目的がある。しかしそれだけでなく、評価者である皆さんは「組織の人材マネジメント活動に貢献している」ということも意識して人事評価に取り組むことが重要である。

図表1-19　組織にとっての人事評価の目的

処遇	・賃金（給与）支給額を査定するためのデータに用いる ・賞与支給額を査定するためのデータに用いる ・役職任用（昇進）のための審査データとして活用する ・昇格（降格）のための審査データとして活用する
教育	・教育施策を企画・実行するためのデータに用いる
配置	・適切な異動ならびに配置を行うためのデータに用いる

2. 人事評価の二重性

（1）職場マネジャーにとっての人事評価の目的は別にある

　前ページの説明を読んだ皆さんに、「なぜ人事評価を実施する必要があるのか？　目的は何か？」と問えば、「処遇、教育、配置といった組織の人材マネジメント活動に貢献するため」というのが模範解答になる。

　しかし、それはあくまでも"組織"にとっての人事評価の目的である。「組織運営上の一評価者」としての目的を考えればそのとおりだが、「職場のマネジャー」という立場から見た人事評価の目的は別にある。"評価者"という役割は、"マネジャー"という役割の一部でしかない。したがって、職場のマネジメントを担うという役割と照らした場合には、人事評価の目的は少々違ってくるのだ。

（2）人事評価の二重の意味

　組織の人材マネジメント活動を図にすると、図表1-20の左半分のようになる。もちろん、この一連の流れが人材マネジメント活動のすべてではないが、大きくとらえればこのような流れとなるだろう。

　この流れの中で"評価"をとらえると、どうしても"処遇"を決めるための"査定業務"という側面が強く感じられる。そのため、一評価者である皆さんの立場からすれば、組織活動の一環として「部下の処遇を決定するために評価業務を任されている」とか、「人事部の下請け的に評価業務をやらされている」ような印象を受けるかもしれない。

　一方、職場のマネジメントにおける人事評価は、図表1-20右半分のPlan-Do-Seeサイクル（以降PDSサイクル）におけるSeeの部分

に当たる。PDSサイクルにおけるSeeの目的は、職場マネジメント活動の一環として自職場や部下の活動を評価し、次期の活動をよりよいものにしていくことである。「職場のマネジメント」というマネジャーの役割に照らせば、処遇、教育、配置といった組織の人材マネジメント活動への貢献よりも、こちらの目的の方がより重要である。

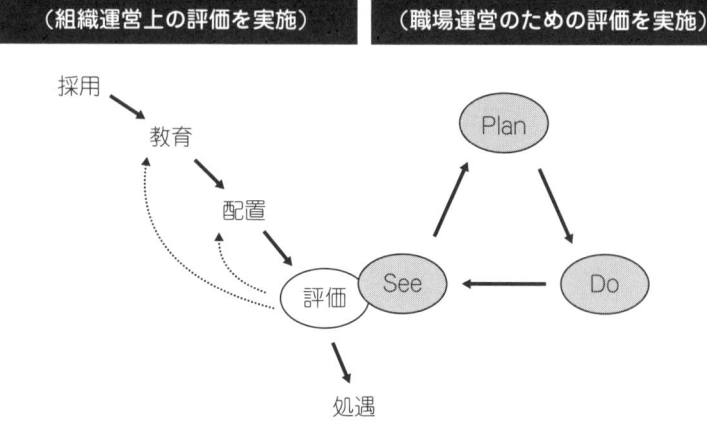

このように、人事評価には二重の意味がある。ひとつは「組織運営上の評価」であり、もうひとつは「自身の職場運営のための評価」である。評価者でありマネジャーである皆さんはそのことを理解して、両方の機能を果たす必要がある。

図表1-20　人事評価の二重性

3. マネジャーにとっての人事評価

（1）マネジャーにとっての人事評価の目的

では、"職場のマネジャー"にとって人事評価の目的とは何だろうか？ それは主に以下の3点になる。

① "能力開発"を支援する

人事評価を通じて部下の能力面の不足部分や伸ばすべき部分を発見し、次期に取り組むべき課題を明確にする。そうして、部下各人の能力開発を支援し、ひいてはキャリア形成に寄与することが、マネジャーにとっての人事評価の第一の目的である。

② "職務割当"のための判断材料を得る

人事評価を通じて部下のもっている能力や態度、成果などを的確に把握できれば、部下に合った職務を適切に割り当てることができるだろう。そのための判断材料を得ることも、マネジャーにとっての人事評価の目的のひとつである。

③仕事への"動機づけ"を図る

人事評価を通じて部下の長所、短所、持ち味などをつかみ、それに応じた仕事への動機づけを図ることも、マネジャーにとっての人事評価の重要な目的である。上司が自分をシッカリと見てくれているという感覚は、上司が考えている以上に部下にとっては重要なことである。人事評価の機会はそれを満たし、部下を動機づけることにもなるのだ。

（2）人事評価をマネジメントツールとして活用する

　心あるマネジャーであれば、自職場の成果を上げるために、皆の努力がどの程度実っているのか、問題があるとすればどこにあるのか、部下の今後の課題は何か、といったことを期末には振り返って検証するはずである。職場マネジメントを正しく実践していれば、期末に部下や職場の活動を評価するのはマネジャーの当然の職務となる。極端な話、たとえ組織に人事評価制度がなかったとしても、マネジメントを効果的に展開していくためには、評価という活動は不可欠である。

　逆に、いくら立派な人事評価制度をもつ組織であっても、職場のマネジメントと無関係に実施される人事評価は真に機能しているとは言い難い。ここに人事評価の本質がある。現場のマネジャーとしては、人事評価を「職場マネジメントのツール」として活用することこそが大事なのである。

図表1-21　職場のマネジャーにとっての人事評価の目的

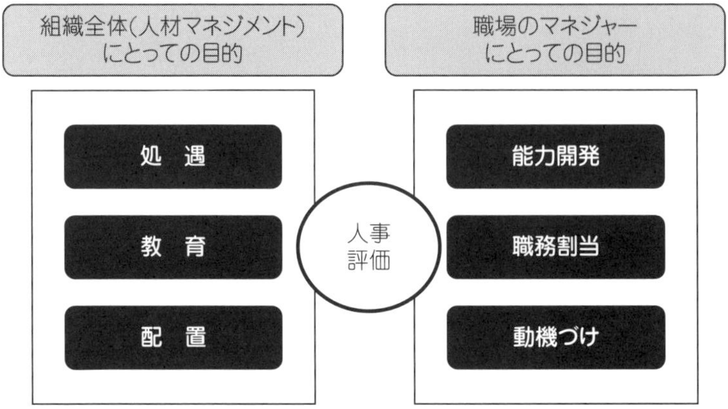

組織全体（人材マネジメント）にとっての目的	人事評価	職場のマネジャーにとっての目的
処遇		能力開発
教育		職務割当
配置		動機づけ

補足知識　人材マネジメントと人事評価

■ 人材マネジメントとは

　企業経営の維持・発展のためには、優秀な人材を採用し、育成していくことが不可欠である。しかし、採用した人材に研修機会を与えておくだけでは、人が育ち、組織のパフォーマンスが上がっていくことにはならない。従業員が、開発した能力を十分に発揮するよう、仕事への意欲を高めるしくみづくりや、現場での効果的なマネジメントの実行も必要となるはずである。

　「従業員のやる気を高めるには、どのような人事制度が必要なのか？」「どのような人材をどの部門に配置すると効果的だろうか？」「従業員をどのように評価・処遇し、その満足や意欲をどう高めていくべきか？」といったことを組織的に考えて手を打つことも欠かせない。そこで、「人材マネジメント」という考え方が注目されるようになった。

　人材マネジメントとは、採用、教育、配置、評価・処遇をトータルでとらえ、経営の維持と発展のために必要な人材をどのようにマネジメントするかを戦略的に考え、実行する活動を指す。平たくいえば、「人はどうすれば、生き生きと、納得して、やりがいや成長を感じて働くことができるのか？　その活動を組織の成果にどうやってつなげるか？」といったことを考えて、そのためのしくみづくりと運用を行うことである。

　似たような言葉として、HRM（Human Resource Management：人的資源管理）、HCM（Human Capital Management）といったものもよく用いられるが、これらは人材マネジメントとほぼ同義と考えてよいだろう。いずれも、人材を企業経営にとって最も重要な資源

や資産として尊重してとらえてマネジメントしていこう、という考え方である。

■□人事評価にも戦略性が求められている

　優秀な人材を確保し組織内に資産として蓄積していくことが企業の持続的な競争優位性を高める、ということが広く認識されるようになった今日、企業には、人材マネジメントに関しての戦略性がますます問われるようになってきた。人事制度・人事評価制度はそのためのひとつのしくみであり、評価者が行う人事評価はその運用のための一手段と位置づけることができる。つまり、人事評価にも戦略的な運用が求められているのである。

　その意味で評価者である皆さんには、経営の意図をよく理解するとともに、人事部門とも連携を密にし、組織の人材マネジメントに貢献するように人事評価を実施していくことが求められている。

図表 1-22　人材マネジメントとは

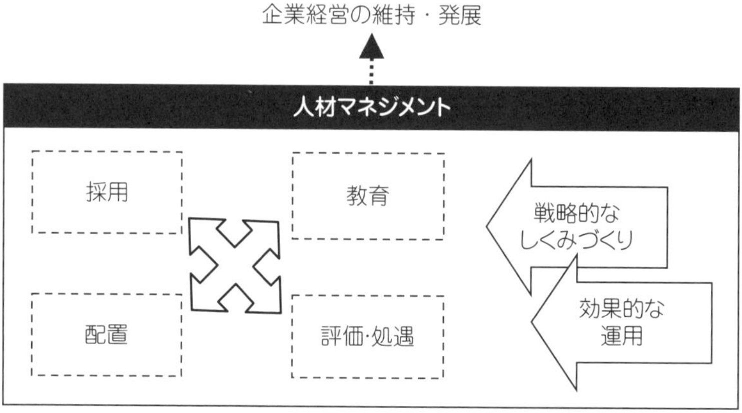

企業経営の維持・発展

人材マネジメント
- 採用
- 教育
- 配置
- 評価・処遇

戦略的なしくみづくり
効果的な運用

第2章
人事評価の運用原則と留意点

```
                    ┌──────────────┐
              ┌─────│ 評価能力の向上 │- - - - ┐
   ┌────┐    │     └──────────────┘         :
   │部下の│────┤                              :
   │人事評価│   │     ┌──────────────────┐    :
   └────┘    └─────│ フィードバック能力の向上 │    :
                    └──────────────────┘    :
                                            :
   ┌────┐         ┌──────────────────┐    :
   │自分自身│────────│ マネジメント能力の向上 │    :
   │ の評価 │         └──────────────────┘    :
   └────┘                                    ▼
```

第1章　人事評価のしくみと考え方
　　第1節　いろいろな評価のものさし
　　第2節　人事制度と処遇の変遷
　　第3節　人事評価の目的

第2章　人事評価の運用原則と留意点
　　第1節　人事評価の運用原則
　　第2節　留意すべき評価エラー

第3章　評価スキルを高める
　　第1節　成果評価の進め方
　　第2節　能力評価とコンピテンシー評価の進め方
　　第3節　成果評価と能力評価・コンピテンシー評価の関係

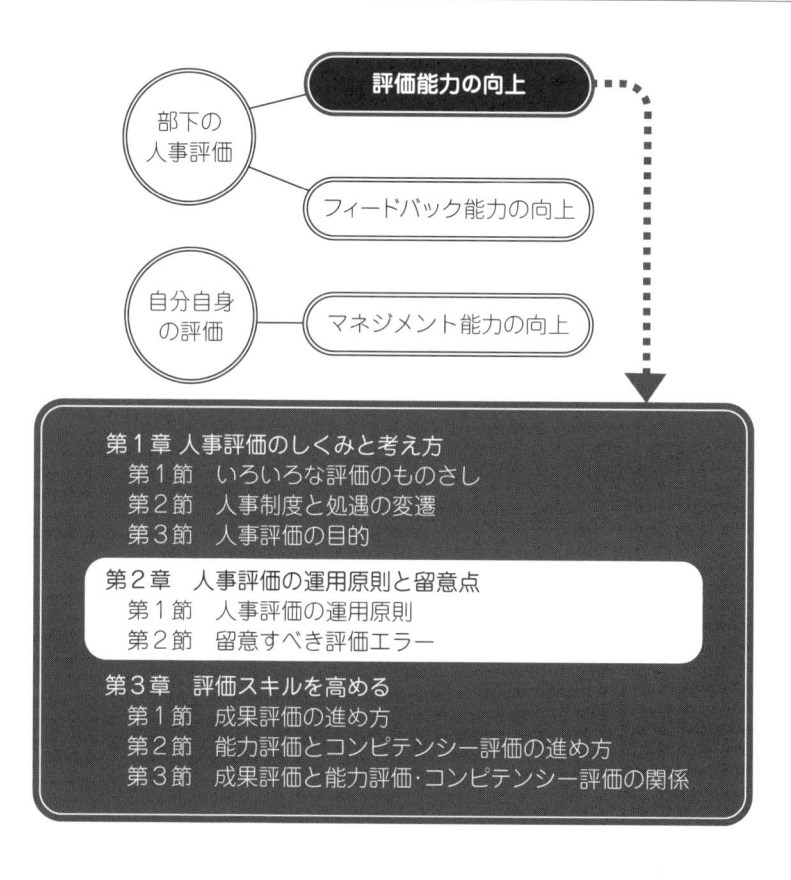

◆第2章の概要◆

> どうすれば「公正」に判断することができるのだろうか？

〔例題〕
　唐突ではあるが、あなたがある事件の裁判員に任命されたとしよう。あなたは、被告人が有罪か無罪か、有罪だとしたらどんな刑にするかを裁判官やほかの裁判員と議論し、決定しなければならない。裁判なのだから、もちろん「公正」な判断をして判決を下す必要がある。
　しかし、どうすれば公正に判断することができるのだろうか？　あなたは、そのためにどのようなことを重視するだろうか？

「公正」な判断をするために重要なことは？

公正

あなただったら、公正な判断をするために、どのようなことを重視するだろうか？　まず第一に、法律という世の"ルール"に照らして判断することを重視するだろう。次に、社会的な倫理やこれまでの判例から読み取れる"原則"、また、客観的な判断をするための"留意点"が示されていれば、それらについても考慮するだろう。このように公正な判断をするためには、"ルール""原則""留意点"といったものが重視されることになる。

ところで、これは裁判ならぬ人事評価についても同様である。公正な人事評価を実施するためには、組織の規定やマニュアルによって定められた"ルール"に従わなければならない。また、どの組織の評価者であっても知っておくべき"原則"と"留意点"があるので、それをよく理解しておく必要がある。

そこで、第2章では、これらについて扱うことにする。ただし、"ルール"は組織によって異なるものなので、評価者である皆さんがより公正な評価を行うために押さえておくべき"原則"と"留意点"について、図表2-1に示す構成で確認していこう。

図表2-1　第2章「人事評価の運用原則と留意点」の構成

第1節 人事評価の運用原則	第2節 留意すべき評価エラー
人事評価の5つの原則	5つの評価エラー

公正

第1節 人事評価の運用原則

1．公正な評価を行うための5つの原則

（1）人事評価は"測定"ではなく"判定"

　実際に部下の人事評価を行う際には、判断にいろいろな迷いが生じるものだが、これはある意味仕方のないことだ。人事評価は人間が行うものである以上、完全に客観的な評価を行うことはできないからである。

　人事評価は、定量的な尺度に基づく"測定"（measurement）ではなく、人が行う判断としての"判定"（ratingないしjudgment）であるといえる。スポーツ競技でいえば、陸上や水泳競技のように記録を測定するようなものではなく、体操やフィギュアスケートなどの審査員の判定に近いものである。どんなに客観的な評価基準に即して評価したとしても、ストップウオッチや巻き尺で"測定"するような性質のものとは違う。

　いかに評価の基準を精緻化したとしても、その解釈には必ず人の判断が入り込む。評価者がどんなに公正に評価しようとしても、人が行う判断なので幅は当然出てくる。つまるところ、人事評価はアナログ判断である。そういった前提のもとで、人事評価は行われているということを承知しておこう。

　「そうであるならば、"公正"な人事評価なんてできないのでは？」と思う方もいるかもしれない。しかし、大多数の判定競技が審判の"公正"な判定によって健全に実施されている事実を考えれば、そうではないことは自明である。

(2) 公正な"判定"ができるよう努めることが大切

　ただし、判定競技の審判は、判定誤差を最小限に抑えるための努力をしている。資格取得はもちろん、能力向上のために講習会に参加したり、選手や観客が納得できるだけの"公正"なレベルを維持するように努めている。

　それと同じことが、評価者である皆さんにも求められている。資格取得こそないが、社内の人事評価研修への参加や、部門内で評価判断基準のすり合わせを行ったりして、評価能力を磨く必要がある。そうして、評価の誤差を許容範囲内に抑えることが不可欠だ。スポーツにおける審判同様、評価者は判定能力を磨く努力を惜しんではいけないのだ。

　そのための第一歩として、まずは公正な評価を行うための"原則"を理解しておくとよいだろう。人事評価の方式や基準は組織によってさまざまであるが、どのような方式や基準であっても順守するべき原則がある。それは図表2-2に示す5つであるが、次ページからこれらを確認していこう。

図表2-2　人事評価の5つの原則

原則1	期待する内容・水準を事前に示す
原則2	事実をシッカリと把握する
原則3	職務活動の事実に限定して評価する
原則4	組織の定めた規則・基準をもとに評価する
原則5	分析評価→総合評価の順序で評価する

2. 原則1 期待する内容・水準を事前に示す

(1) 事前に期待を示すことが評価の納得性を高める

　評価とは、端的にいえば「期待する内容・水準に対する達成度合いを確認する作業」である。ここでいう"期待"とは部下が目指すべきゴールのことであり、具体的には、職務目標や職能資格要件書などに基づく資格等級基準、あるいは、コンピテンシー・ディクショナリなどに示されている評価基準のことを指す。マネジャーは、期首にそれらを部下に期待として示し、部下がその内容と水準を目指すことに合意を得ておかなければならない。

　その共有がなされていなければ、どうなるだろうか？　部下はゴールのないマラソンをさせられたあげく、判断基準がさっぱりわからないままに「Aランク」「Bランク」といった判定を漠然と下されることになる。何をどれだけやればよいのか不明のまま評価されるということは、部下からすればとうてい納得できるようなことではない。

　評価は、「評価者と被評価者があらかじめゴールを確認し合い、共有している」という前提で成立する。したがって、マネジャーは事前にどのような成果や能力、行動を"期待"しているのか、個々の部下にその内容や水準をできるだけ具体的に示す必要がある。そのことが公正な評価のための第一歩となり、部下の期末の評価結果に対する納得性を高めることにつながる。

　また、ゴールはノルマではなく、あくまでも期待として示すべきである。やらされ意識で仕事に取り組むのと、組織の期待に応えようとして取り組むのとでは、部下のゴールを目指す姿勢は違ってくるからである。

（2）組織が期待する基準にはマネジャーによる"翻訳"が必要

　しかしながら、コンピテンシー・ディクショナリや職能資格要件書などに表される基準は、その組織の職種の最大公約数的な基準である。そのため、その文章表現はどうしても抽象的かつ包括的な記述になっているのが普通である。そこで、マネジャーによる"翻訳"が必要になってくる。組織が期待するこれらの基準を現場の実態や、部下一人ひとりの状況に合った具体的な基準に翻訳し、期待として提示するのである。

　高度成長期のように毎年の活動の延長線にゴールが見えている時代には、そうしたことはさほど重視されなかった。しかし、今日のように変化が激しい時代には、毎期毎期の実態に合ったゴール（評価基準）をマネジャーがフレキシブルに設定する必要がある。

図表2-3　部下に期待する内容・水準を事前に示す

（当期は、リーダーシップを発揮して、○○の件を□□レベルまで何とか改善してほしい。）

（がんばります！）

3. 原則2 事実をシッカリと把握する

(1) 職務遂行における事実をできるだけ正確につかむことが大切

　第2の原則は、職務遂行における事実をシッカリと把握するということである。評価者であるマネジャーは、部下が日常の職務活動をどのように遂行しているか、どのような問題に直面しどのように解決しているのか、その遂行プロセスで価値あるノウハウを生み出しているか、成果のクオリティーはどの程度のものかなど、職務遂行における"事実"をできるだけ正確につかむことが大切である。

　ただし、期末の人事評価の時点になってから、これらの情報を集めようとしても無理がある。そのためマネジャーとしては、日ごろから、部下が職務を遂行する様子をしっかり観察し、記録しておく必要がある。そういった地道な活動がなければ、公正な評価はできない。

(2) 報告・連絡・相談で事実を把握する

　しかし、現実には、それはどの組織においても困難な状況になっていることだろう。原因は、近年、上司と部下が職務行動を共にする機会が減少していることにある。クリエーティブな仕事が増加するほど、職務遂行のスタイルは自立的、主体的、自己完結的になり、ネットワーク・ワークなどと呼ばれる職場環境がその傾向に拍車をかける。そうなると、マネジャーの一方的な観察や記録には限界が生じる。

　そこで、部下からの報告・連絡・相談といったコミュニケーションが重要となる。報告・連絡・相談を介して、部下の職務遂行における"事実"を正確につかむことが必要である。マネジャーが部下

の状況を観察し記録することはもちろん重要なことであるが、それが十分にできないのであれば、部下に積極的に働きかけて質の高いコミュニケーションをとることで、事実を把握する努力をしなければならない。

ただし、部下の仕事の進捗（しんちょく）管理やアドバイスなどの支援活動を行うことがマネジャーの本来の役割であることを考えれば、部下に報告・連絡・相談を徹底することは、特別な仕事と認識する必要はない。人事評価のためというよりは、職場マネジメントの当たり前の活動として実行することが大事である。

図表2-4　職務遂行における事実をシッカリと把握する

○○の件は、△△の課題を克服し、□□レベルまで改善しつつあります。

よくやってくれたわね。どうやって課題を克服したの？

4. 原則3 職務活動の事実に限定して評価する

(1) 印象評価や人物評価を避ける

　3番目に守るべき原則は、職務活動の事実に限定して評価するということである。部下の職務遂行における事実をシッカリと把握したならば、その事実に基づいて評価をしなければ公正とはいえない。事実がないのに評価したとすれば、それは根拠のない評価であり、印象評価や人物評価に陥っているということである。

　印象評価とは、字のごとく印象やイメージによる評価で、もしも印象によって評価されるのであれば、部下はいかに自分の印象をよくするかということに注力するようになるだろう。そうなってしまうと、健全な評価どころか、健全な職場運営もままならないことになる。真に組織に貢献する成果も期待できなくなってしまうだろう。

　また、人物評価とは、人格や性格など、その人がもって生まれた部分も含め、人の属性や人柄を評価することである。人の属性や人柄は毎期変化するような性質のものではないので、それに対してマネジャーが事前に期待（ゴール）を示すことはできないし、部下としても改善のしようがない。つまり、人物評価は、マネジャーが行う人事評価には馴染まないのだ。

　マネジャーの皆さんは、「彼はいい人かどうか」「IQやEQはどの程度の人か」といった視点での評価は避けなければならない。人の活動（＝職務活動）と人（＝人物）を区分して見るようにし、その上で、あくまでも職務遂行における事実に基づいて部下の評価をする必要がある。

(2) 私的な事柄を評価材料としない

　印象評価や人物評価をしないことと併せて、部下の私的な事柄を評価材料とすることも評価の原則に反する。

　部下には「職務を遂行すること」や「高い成果を上げること」が求められているのであって、そのために発揮すべき能力や行動、成果がいかなる状態になっているかを評価するのが人事評価である。したがって、就業後のプライベートな活動や休憩時間中の私的な言動などは評価の対象にはしない。ましてや、推測や単なるうわさ話など、事実確認していないものを根拠に評価をしてはいけない。公正な評価をするためには、先入観や偏見は禁物である。

　人事評価では、職務遂行における事実に基づいて部下を評価するのだから、あくまでも職務遂行上の能力や成果を対象に行わなければならない。

図表2-5　職務活動の事実に限定して評価する

（彼は人柄もいいし、優秀だ。でも、今期は成果を出せなかったというのが事実だ。）

（努力しましたが、目標は未達成でした…。）

5. 原則4 組織の定めた規則・基準をもとに評価する

(1) 組織の定めた規則・基準に従う

　人事評価を組織のしくみとして機能させるためには、評価者であるマネジャーが組織の人事評価マニュアルなどで定められた規則や基準を正確に理解し、自分のものにしておくことが不可欠である。

　組織の定めた規則・基準は、現場が公正な人事評価を実行するためにある。評価者であるマネジャーが、これらに即して評価を実行してこそ公正な人事評価となる。もしも、マネジャーの皆さんが、これらを無視し、個人の枠組みや価値観のみで評価したならば、どうなるだろう。個人の枠組みや価値観はその人の育ってきた環境や経験などによって異なるので、当然、評価する人によって評価結果に大きな違いが出てくるだろう。これでは、公正な評価にはならず、部下の不満が生じることになるだろう。

　マネジャーは、自分のもっている人生観や価値観だけで評価をしてはならない。組織が定めた規則・基準をベースに評価することが原則である。

(2) 基準の理解は特に重要

　組織の定めた規則・基準の中でも"基準"の理解は特に重要となる。基準については、マニュアルどおりに手続きさえすればよいとはいえないからだ。以下に示すようなより深い理解が求められるので、評価者研修の場を活用したり、マネジャー同士で理解のすり合わせを行うなどして、よく確認しておくとよいだろう。

①評価要素や評価項目の正しい理解

「成果」「能力」「態度」などの評価要素への理解は十分だろうか。また、それらを構成する「仕事の質」「仕事の量」「企画力」「積極性」などの評価項目の解釈もしっかりできている必要がある。

②評価ランクの正しい理解

「S・A・B・C・D」や「5・4・3・2・1」などの評価ランク（評語）について、「何がどうなるとSで、Aとの境目はどこか」「3と2の違いは何なのか」などについて十分に理解できているだろうか。特に、「S」「5」（最高ランク）や「D」「1」（最低ランク）の評価の基準については、部門内などの単位で理解を共有しておく必要がある。

図表2-6　組織の定めた規則・基準をもとに評価する

（吹き出し左）リーダーシップを発揮して、○○の件を、□□レベルまでなんとか改善しました。

（吹き出し右）4等級に求められる「指導力」の基準を満たしているわ。

＊組織によっては、ここでいう「評価要素」のことを「評価項目」と呼び、「評価項目」のことを「評価要素」と呼んでいる場合もある。

6. 原則5 分析評価→総合評価の順序で評価する

(1) 分析評価と総合評価の違い

　人事評価では、まず分析評価で被評価者の職務遂行状況をとらえ、その後、総合評価を行うことを原則としている。

　分析評価とは、被評価者を能力・行動・成果といった評価要素ごとの評価基準に基づいて評価する方法である。それぞれの評価要素をさらに細分化（評価項目）し評価の着眼点を付記するなど、個別具体的に見ていく。これによって、他者との比較ではなく被評価者個人に期待されている内容のうち、どの点が優れているのか劣っているのか、指導すべき点はどこなのかが把握しやすくなる。

　一方、総合評価は、被評価者の職務遂行状況を総合的に評価する方法である。個別の評価項目ごとではなく、職務遂行の全体状況を踏まえて、その人の総合力を評価する。実際に人事評価を行うと、マニュアルや基準に従ってきちんと分析評価をしたにもかかわらず、その評価の合計点が実感レベルと違ってしまうことがある。総合評価は、そうした状況に陥らないようにするために必要となる。

　ちなみに、人事評価シート上で評価要素や評価項目ごとに分析評価した結果を合算した合計点、つまり最終評価の評語のことを総合評価と呼ぶことがあるが、ここでいう総合評価とは意味が違うので注意してほしい。

(2) 木を見て（分析評価）から森を見る（総合評価）

　評価者によっては、自分の実感としての総合評価が正しいと思い込み、それを前提に分析評価の結果を辻褄合わせで決めている場合があるが、これは望ましいことではない。このような結論ありきの

やり方は逆算評価と呼ばれ、人事評価の運用原則に反するものである。

評価者は、印象に流されたり直感を優先してはいけない。人事評価では、「木を見て」(分析評価) から「森を見る」(総合評価) のが原則だ。実務的には、「①まず分析評価→②次にその合計を出し、→③実感レベルとしての総合評価と比較し、→④違和感があれば再度、分析評価をし、→⑤総合評価を修正する」という順序で進めることが望まれる。こうすることで、評価結果をより公正・妥当なものにすることができるだろう。

図表2-7　木を見て(分析評価)から森を見る(総合評価)

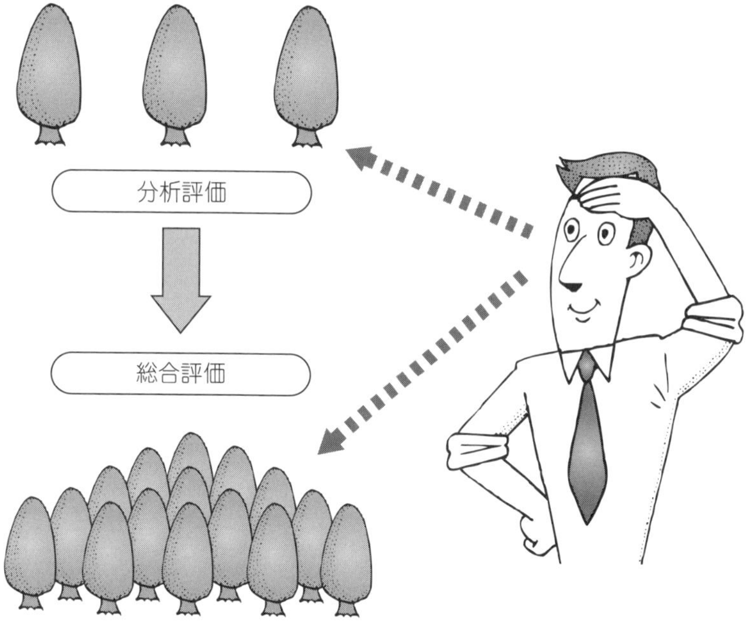

(3) 分析評価の手順

 ここで、分析評価の手順についてもう少し詳しく理解しておこう。分析評価は、どのような評価要素が対象であっても、以下の①～③の手順で進めていく。

①評価対象事実の決定

 人事評価では、評価期間内の部下の職務遂行上の行動や成果などの事実が評価の対象となる。したがって、まずは「あのときに能力を発揮していた」「こんな場面で成果を出していた」といった事実を振り返り、その中から評価の対象とする事実を決定する。

②評価項目の決定

 評価対象とする事実を決定したら、それぞれの事実がどの評価項目に該当するかを考える。そのため、評価者が各評価項目の内容を十分に理解することはもちろん、評価者間でも共通理解をしておくことが前提となる。
 なお、評価要素が異なれば、1つの事実を2つ以上の評価要素で取り上げても構わないが、1つの事実は同一の評価要素の中の複数の評価項目でとらえることはできないので注意しよう。

③評価ランクの決定

 どの事実をどの評価項目で評価するかが決まったら、妥当な評価ランクを決定する。評価ランクとは、「S・A・B・C・D」や「5・4・3・2・1」といった評価段階のことである。被評価者の能力、態度、成果などが、評価項目ごとに、どの程度であるかを判断するための目安となる。

評価項目ごとに評価ランクを決定することで、評価全体をまとめやすくなることはもちろん、どのように最終評価が決まったのかが可視化されるため、評価の客観性を高めることができるだろう。また、被評価者が今後どういったことに努力すべきか、被評価者の課題が明確になるというメリットもある。

　評価項目ごとの評価ランクを決定したら、前項で説明したとおり、後はその合計を実感レベルとしての総合評価と比較し修正する、といった順序で最終評価を決定することになる。

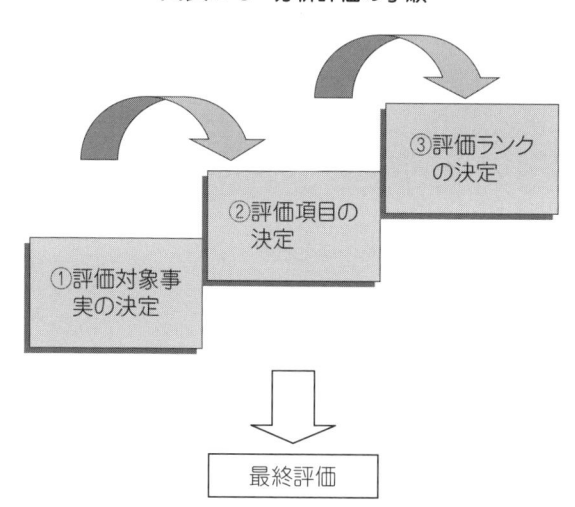

図表2-8　分析評価の手順

①評価対象事実の決定 → ②評価項目の決定 → ③評価ランクの決定 → 最終評価

補足知識　人物評価には科学的な視点も必要

■ マネジャーは目的によっては人物評価を行っている

　本書では、「人事評価では、人物を評価してはいけない」という立場をとっている。ここでいう人物とは、その人のパーソナリティー、キャラクター、資質、価値観、属性、職務適性等々を含んだ「人となり」や「人格」のことを指す。こういった事柄は、「成果」や「能力」などと違い、成人した後では毎年変化するようなものではない。そのため、毎年評価することの意味が薄いのである。

　実際、「人となり」や「人格」を評価されて、悪い部分を直せといわれても簡単には直せないし、そもそも上司からそのような評価を受けること自体、面白くないだろう。上司が部下という人物を評価することには、あまりメリットがないのだ。

　ところが、マネジャーは、一切、部下という人物を評価してはいけないかというと、実はそうともいえない。例えば、部下の役職任用の判断に際しては、人事評価の結果に加え、人柄やリーダーシップの資質があるかといったことを頭の中で評価するのが普通であろう。P.F.ドラッカーも経営者やリーダーに最も求められる資質に「高潔な品性」をあげているが、人事評価上でいくら能力が高く評価されていても、人としての評判が悪いようであれば、普通はその部下を役職へ推薦することをためらうものである。

　このほか、部下に職務を割り当てる際にも、通常は人物評価がなされている。その職務への向き・不向きといった適性をマネジャーは漠然としながらもやはり評価しているものだろう。このように、マネジャーは人事評価上では人物評価はしないものの、目的によっては無意識かもしれないが、人物評価を行っているものなのである。

■□ 役職任用の際には評価に科学的な視点を入れることも大切

ただし、マネジャーによるこのような人物評価は、主観的なものにならざるを得ない。そのため、しばしば間違いが起こるのだが、役職任用に関しては、できればそのような事態は避けたいものである。任用した人物が、後になって「名選手名監督にあらず」といった状態になってしまっては、本人にとっても組織にとっても不幸なことである。

そのため、研修方式（アセスメントセンター方式）や診断ツールなどを用いて、「人材アセスメント」を実施する組織も増えている。役職任用の際には、人事評価の結果や主観的な人物評価だけに頼らず、評価に科学的な視点を入れることも極めて重要である。

図表2-9　名選手名監督にあらず

第2節 留意すべき評価エラー

1．公正な評価を行うための留意点

（1）評価の癖を確認してみよう

あなたは、以下のような視点で人を評価してはいないだろうか？

①早期に全体印象を形成してしまう

「彼／彼女はできる」と思った第一印象を、後々まで引きずって評価していないだろうか？

②過去の成績に影響されてしまう

過去に優れた業績を上げた人を見て、最近の業績や能力も高いはずだと決めて見ていないだろうか？ 逆に、業績を上げていない部下を見て、最近の業績や能力も低いはずだと見ていないだろうか？

③何かのとりえなどに影響されてしまう

「上級の資格をもっているから頭がいい」「文字がきれいだから、仕事も正確で几帳面だ」といったように、ひとつのとりえから類推して、その人の能力全般を漠然と高く評価していないだろうか？

④高い潜在能力をもっていると思ってしまう

入社試験の成績が抜群であったとか、有名大学を卒業しているなどのことから、ほかの面においても優秀であると判断してしまっていないだろうか？

（2）エラーの少ない公正な"判定"を目指す

　評価者が陥りやすい心理的な間違いを"評価エラー"というが、前ページで確認した傾向は、その中でもよく知られている"ハロー効果"といわれるエラーの傾向である。評価者である皆さんは、こうした評価エラーが発生する可能性をいつも念頭に置き、常に冷静さと客観性をもって評価を行わなくてはならない。

　しかし、ハロー効果に限らず、評価エラーは人間の心理的なものであるだけに、有効な防止策が少ない。そのため、評価者が陥りやすいいろいろな評価エラーについて理解し、自分自身の判断の傾向について点検してみることが大切である。評価エラーの知識や自分自身の判断傾向について理解することが、評価エラーの防止に向けた心の準備となるだろう。

　本節では、以下に示す5つの評価エラーを紹介すると共に、その防止策を考えていくことにしよう。

図表2-10　留意すべき評価エラーと防止策

ハロー効果	一部の印象に引きずられてほかの特性も優れていると判断してしまうこと
寛大化傾向	プラスの方向に偏った甘い評価をしてしまう傾向
中心化傾向	標準ランクに偏り、優劣の差が出ない傾向
対比誤差	評価者が自身の特性を基準に部下と対比することで生じるエラー
論理的誤差	論理的に関連のありそうな別々の評価項目で同じような評価を下してしまうエラー

2. ハロー効果

(1) ハロー効果とは

　"ハロー"（halo）とは、英語で「太陽や月にかかる光のかさ」とか、「天子や聖人の像の後ろに射している後光」をいう。ハロー効果とは、いわば後光の強い光に幻惑され、そのハレーション効果によって正しい判断が下せなくなる状態のことで、"後光効果"とも呼ばれる。

　被評価者のもつ一部の特性について「優れている」といった印象を抱いた場合、それに引きずられてその人のほかの特性も同様に「優れている」と判断してしまうことがハロー効果である。逆に、一部の特性が「劣っている」という印象に引きずられて、その人のほかの特性までも「劣っている」と判断してしまうのもハロー効果によるものである。

　一般に私たちは、「この人は良い人だが、あの人は悪い人だ」「この人は仕事ができる人だが、あの人は仕事ができない人だ」などと、「○か×か」の単純評価でその人全体をとらえる傾向がある。日常生活においては、その人のもつ一つひとつの特性について、細かく分析的に評価するような習慣がないから仕方のないことなのだろう。しかし、人事評価の際には、一部の特性だけを見て、「良い・悪い」「できる・できない」といった単純評価でその人全体をとらえてはならない。

　人事評価では、人間ドックや健康診断の診断項目のように、定められた評価基準に沿っていろいろな角度から分析的に評価し、ハロー効果に影響されないよう注意しよう。

(2) ハロー効果の防止策

ハロー効果を避けるためには、次のようなことを心掛けるとよいだろう。
① "人"を見るのではなく、"職務活動の事実"を見るようにする。
② 主観、イメージ、印象や先入観を排除すると共に、それに惑わされない客観性をもつようにする。
③ 結果や事実に基づいて評価をするようにする。
④ 組織の示す評価基準や着眼点に基づいて評価をするようにする。
⑤ 被評価者単位の評価ではなく、評価項目ごとに被評価者を評価する方法をとる（一項目ずつ全員同時に比較評価してみる）。

図表2-11　ハロー効果とは

3. 寛大化傾向

(1) 寛大化傾向とは

　公正な評価（判断）よりも、事実に反し常にプラスの方向に偏った甘い評価をしてしまう傾向を寛大化傾向という。ちなみに、実際よりも辛く（悪く）評価をしてしまう傾向を厳格化傾向という。

　評価エラーというのは、無意識のうちに陥ってしまうようなものが大半である。しかし、寛大化傾向については、評価者によって意図的に実行されるケースが多い。それは、以下のような状況である。

①部下をひいき目に見てしまう場合

　上司であれば誰もが、かわいい部下や頼りになる部下をひいき目に見たくなるものである。また、親しい人や好意をもつ人に対しては、実際以上に、甘く評価してしまうケースもあるだろう。伝統的な日本の組織風土であるモチツモタレツ型の人間関係が強い職場ほど、このような寛大化傾向が生じやすい。

②自部門を有利にしようと図ったり、かばったりする場合

　「部門として成果を出している」「部下が育っている」といったことを上位者に示すため寛大化傾向が生じることもある。これは事業所間や職場間の競争が激しい組織で起こりやすいといわれている。

③資格等級（役職）の高い部下を評価する場合

　「このクラスでこんな悪い評価はないだろう」「このポジションで一応仕事はこなしているのだから、ある程度の点をつけなくては」という意識が結果として寛大化傾向を誘うこともある。

（2）寛大化傾向の防止策

　寛大化傾向は、評価エラーの中でも最も多く見られるものだ。筆者のコンサルティング場面や評価者研修の中心的な問題としてもよく取り上げられる。しかも、評価結果を本人に知らせたり、評価時に面接を行うなどのしくみをとっている組織ほど、発生しやすいのでやっかいである。

　しかし、寛大化傾向が組織内に横行すると、人事評価というしくみ自体が形骸化し、モラールダウンを引き起こすことにつながってくる。評価者としては、寛大化傾向の発生場面を念頭に置き、常に公平無私の立場で評価するよう努めることが大切である。寛大化傾向を防止するために、次のようなことを心掛けるとよいだろう。

①具体的事実に基づいて評価を行う。
②評価基準との対比に徹する。いわゆる絶対評価を行う。
③寛大化傾向に陥っていないかどうか、自己の判定を厳しく見直す。

図表2-12　寛大化傾向とは

（彼女は、私の言うことをよく聞いてくれる。だから成果が出てなくてもマイナス評価は出来ないな。）

（課長、私に任して下さい！）

4．中心化傾向

(1) 中心化傾向とは

　評価結果が「普通」とか「標準」ランクに偏り、被評価者間の比較や評価項目同士に優劣の差が出ない傾向を中心化傾向という。一定の集団を評価ランクごとに区分すれば「普通」とか「標準」ランクに最も多くの被評価者が集中するのは自然なことだ。しかし、ここでいう中心化傾向というのは、能力の高低や貢献事実に差があるにもかかわらず評価に差をつけたくないという心理から「標準」ランクに評価が集中してしまうことをいう。

　一般に人間の判断には、「極めて優れている」とか「極めて劣っている」というような極端な評価を避けようとする傾向があるといわれる。特に人事評価の際には、できるだけ当たり障りのないところに落ち着かせたいという心理が働きやすく、それが中心化傾向につながる。この傾向は、次のような場合に生じやすい。

①評価者に自信がない場合

　評価者が自分の判断に自信がない場合には、当然、当たり障りのないところに落ち着かせたいという意思が働く。

②評価対象者をよく理解していない場合

　評価者が今の職場に異動してきて日が浅いとか、あるいはその部下が異動してきてから数か月しかたっていないので判断材料が少なく、思い切った評価が下せないというときにも生じやすい。

　2次評価者の評価が中心化傾向になるケースでも、被評価者の日常の活動を把握していないことが原因となっていることがある。

③評価の基準が不明確な場合

　決められた評価基準があいまいで、どのようにでも解釈できるものである場合には、評価者が判断しきれず、中心化傾向が多くなりやすい。

(2) 中心化傾向の防止策

　中心化傾向を回避するためには、次のような方法が有効となる。
①日ごろから部下の指導・育成に真剣に取り組み、関係を密にする。
②評価基準との対比に徹する。
③部門内の評価者間で話し合い、評価基準の解釈を統一する。

図表2-13　中心化傾向とは

5．対比誤差

（1）対比誤差とは

　自分が専門とする事項や得意とする事項については部下に対して期待値が高くなり、評価も辛くなる。逆に、自分が苦手な事項については期待値が低くなり、評価も甘くなる傾向が見られる。このように、評価者が自身の特性を基準に部下と対比することで生じる評価エラーを対比誤差という。

　例えば、極めてきちょうめんに仕事を進めることが得意な上司は、たとえその能力が高くても仕事にきちょうめんさが欠けている部下に対しては、その評価をついつい厳しくしてしまうことがある。パソコン操作が苦手な上司は、パソコン操作に長けている部下の能力を通常以上に高く評価してしまうことがある。これらが対比誤差である。対比誤差は、次のような場合に生じやすい。

①評価者が被評価者の仕事を熟知している場合

　上司がかつて部下の仕事を担っていて、そのやり方を熟知している場合には、自分と同じやり方や能力をその部下に対して求めがちだ。そのため、自分がやっていた水準どおりに部下ができないと、組織の客観基準はどうあれ、厳しく評価してしまうことがある。反対に、よく理解していない仕事をしている部下の評価は甘くなり、対比誤差が生じてしまう。

②評価者が権威的な性格である場合

　自分の仕事のやり方や能力に絶対的な自信をもっている上司が権威的な性格である場合、対比誤差が生じやすくなる。例えば、こう

いった性格の上司が完全主義者であると、部下に対してもパーフェクトな仕事を期待する。しかし、結果は期待どおりにはならず、期待の高さから失望が強くなり、過小評価する傾向が見られる。

(2) 対比誤差の防止策

対比誤差防止のためには、次のような方法を採るとよいだろう。
①とにかく、部下は自分とは違う人間であるということを認める。
②その上で、部下一人ひとりに対しての期待内容や水準（目標）を明確にし、共有する。
③上司として経験ある部分は部下よりうまくできて当然のこと。自信過剰にならないよう、自分をいさめ謙虚な姿勢で評価に臨む。

図表2-14 対比誤差とは

商品開発は「企画」が命。よい企画を立てられなければ、評価は出来ないわ！

でも、営業部門や生産部門とうまく「折衝」できなければ、いくら良い企画でも通らないんだけどなあ…。

企画が得意な上司　　　　折衝が得意な部下

6. 論理的誤差

(1) 論理的誤差とは

　判断するための理屈を考えようとするあまり、論理的に関連のありそうな別々の評価項目で同じような評価を下してしまう評価エラーを論理的誤差という。

　例えば、「専門知識を身につけているのだから理解力も高いはずだ」と考えてしまうのがその一例だ。たしかに、「専門知識がある」ことと「理解力が高い」ことは相関が高いかもしれない。しかし、理解力が高くなくても専門知識を有している人は、世の中にはたくさんいる。専門知識を身につけているからといって、理解力が高いとはいえない。このように、「専門知識がある」と「理解力が高い」という別の評価項目の間に自分なりに論理づくりをしてしまうのが、論理的誤差である。

　勤務ぶりと仕事量の間には相関があると思い込み、「勤勉な人だから、仕事量もこなしているはずだ」と評価してしまう例なども実際によく見られる論理的誤差である。評価者としては、それぞれの評価項目を別の次元の独立したものとしてとらえて、分析的に評価を行う方がよい。

(2) 論理的誤差とハロー効果

　ところで、この論理的誤差は、被評価者の一部の特性をとらえて、ほかの特性も「優れている」と評価してしまう点で、先に説明したハロー効果と似ていると思われた方もいるだろう。しかし、両者は本質的に異なる。ハロー効果は被評価者個人の特性に起因する属人的なものであるのに対し、論理的誤差は、被評価者の個人特性とは

関係なく、各評価要素間の見かけ上の相関を媒介にして発生するエラーである。

(3) 論理的誤差の防止策

論理的誤差を回避するためには、次のようなことを心掛けるとよいだろう。
①各々の評価項目は独立したものであることを忘れないようにする。
②評価者自身の頭の中だけで考えすぎないこと。
③事実と評価項目を一つひとつ照らし合わせて評価するようにする。

図表2-15　論理的誤差とは

7．その他の評価エラー

　ここまでで評価者が陥りやすい5つの評価エラーについて、その概要と防止策を確認してきたが、このほかにもいくつかの評価エラーが存在する。特に注意すべきものを以下に提示するので、これらについても理解しておこう。

①近接誤差
　評価シート（人事評価票）の上で隣り合って並んでいる評価項目について、無意識に類似した評価をつけてしまうエラー。距離的に近接している評価項目の場合の方が、離れている項目同士の場合よりも評価の類似度が高くなる傾向がある。

②直近誤差
　期末の直近1か月程の出来事を元に評価を下してしまうエラーのことで、期末エラーとも呼ばれる。人事評価の直近時期の出来事は、印象に残りやすいために発生する。また、期中の情報収集が不十分で判断材料が少ないと、直近の出来事だけで評価せざるをえなくなって生じる。

③異質性に基づく誤差
　同質の中に少数の異質が混在していることによって、異質に対する評価が上下にぶれやすくなってしまうために生じる評価エラー。
　同質と異質の関係としては、男性と女性、営業出身と技術出身、日本人と外国人などがあげられる。

④性差に基づく誤差

社会や文化がつくりあげた「男性らしさ」「女性らしさ」という意識をもっていることによって、必要以上に厳しく、または甘く評価してしまうために生じる評価エラー。

⑤数値化可能性に基づく誤差

定量化できるスキルを無意識のうちに重視してしまい、逆に定量化できないスキルを軽視してしまうために生じる評価エラー。

図表2-16　その他の評価エラーにも留意する

補足知識　自分の評価特性を知ることも大切

■ 人事評価時に留意すべき特性

評価エラーを防止するためには、自分自身がどのような特性をもっているのかを理解した上で評価に臨むことも肝心である。そこで、人事評価時に留意すべき典型的な特性を4つほど紹介しておこう。ここにあげた特性が自分自身に当てはまると思えるならば、それぞれの説明を参考にしてほしい。

①自分に自信がもてない

自分自身に自信をもっていないと、自分が行った評価にも自信がもてず、甘め、または無難に評価してしまうおそれがある。この特性をもつ人は、「寛大化傾向」や「中心化傾向」に注意が必要となる。

②観察力に欠ける

他者や周囲をよく観察し、そこで良いと感じたことを自分の中に取り込んでいない場合、できるだけ当たり障りのないところに落ち着けてしまうおうとする思考が働く。観察力に欠ける特性をもつ人は、「中心化傾向」に注意が必要である。

③判断力が低い

評価の際、その人自身を見ようとするのではなく、外見や地位、年齢などの属性に影響を受けてしまいやすい特性。この傾向があると、人の属性と仕事の結果とを結びつけて考えてしまうおそれがあるので、「論理的誤差」に注意が必要となる。

④独断性が高い

　自分の価値観や考え方に基づいて人を評価する特性。この特性が強い場合は、基準よりも自分の価値観を優先させてしまうおそれがあるので、「対比誤差」に注意が必要である。

■□自分の特性を知ることが評価の客観性を高める

　実際には、自分自身にどのような特性があるのかは判断しづらい部分もある。そのため、ほかの評価者に自分の特性について意見を求めてみるとよいだろう。自分の特性を知ることが評価の客観性を高めることにもなるのだ。

図表2-17　自分の特性を知ることが評価の客観性を高める

- 自分に自信がもてない
- 観察力に欠ける
- 判断力が低い
- 独断性が高い

自分にはどのような特性があるのだろうか？

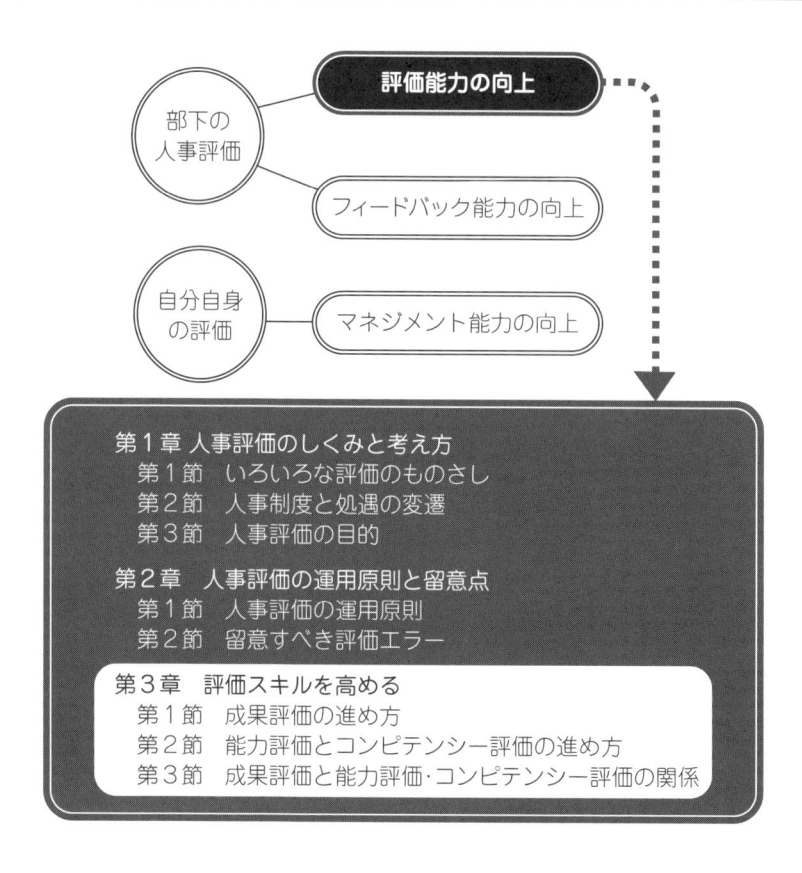

第3章
評価スキルを高める

部下の人事評価 ─ **評価能力の向上**
　　　　　　 ─ フィードバック能力の向上

自分自身の評価 ─ マネジメント能力の向上

第1章　人事評価のしくみと考え方
　第1節　いろいろな評価のものさし
　第2節　人事制度と処遇の変遷
　第3節　人事評価の目的
第2章　人事評価の運用原則と留意点
　第1節　人事評価の運用原則
　第2節　留意すべき評価エラー
第3章　評価スキルを高める
　第1節　成果評価の進め方
　第2節　能力評価とコンピテンシー評価の進め方
　第3節　成果評価と能力評価・コンピテンシー評価の関係

◆第3章の概要◆

> 想定外の成果や活動は、どのように評価すべきか？

〔例題〕

　あなたは、ある電気機器メーカーの研究開発部門のマネジャーで、あなたの部下の優秀なAさんがある日突然、ノーベル賞を受賞したとしよう。Aさんは一躍時の人となり、その結果、会社の知名度は一気に高まり、業績にもよい影響が出てきそうな状況である。ただし、Aさんが今期設定した目標は、あくまでも新商品Xの仕様のとりまとめに関することであって、ノーベル賞の受賞ではなかった。

　さて、今期、あなたは、Aさんに対してどのような評価を行うだろうか？　自社の評価制度の下で、どのような判断をすべきだろうか？

想定外…

目標設定していなかった事柄は、どう評価すべきか？

実際には、このような特異なケースは経営層の判断に委ねられることが多いだろうし、その組織の人事制度によっても判断は異なってくる。そこをあえて考えるために、ここでは成果評価と能力評価を併用している組織を前提に考えてみることにする。そのような組織であれば、まず成果評価によって、会社の知名度を上げ業績に貢献したというＡさんの成果をしっかり評価すべきである。もちろん、この成果は当初の目標には設定されてなかったものなので、目標の達成度とは別枠で評価すべきだろう。また、Ａさんはノーベル賞を受賞できるほどの組織貢献能力を保有しているのだから、能力評価によっても昇格させるなどの手を尽くす必要があるだろう。

　ところで、例題のような事態に直面しても明確な判断基準をもって人事評価を行うためには、評価要素ごとに正しい評価の進め方を理解しておくことが不可欠である。それさえ理解しておけば、たいがいの事態には対応できるはずである。そこで第3章では、最も一般的な成果評価と能力評価・コンピテンシー評価の進め方のポイントについて、以下の構成で確認していくことにしよう。

図表3-1　第3章「評価スキルを高める」の構成

第1節　成果評価の進め方	第2節　能力評価とコンピテンシー評価の進め方
目標を具体化する 目標への合意を形成する 目標の進捗管理を行う 目標の達成度を評価する 目標外の成果も評価する	評価基準を部下の課題に翻訳する 評価基準を期待として伝える 観察を通して判断材料を収集する 日常の報・連・相を徹底する 行動の再現性を検証する

第3節　成果評価と能力評価・コンピテンシー評価の関係
複数の評価要素が併用されるのはなぜか 能力評価とコンピテンシー評価の重要性

第1節 成果評価の進め方

1．成果評価のポイント

（1）成果評価では目標設定が重要

　成果評価とは、前述のとおり、職務活動の取り組みによる成果の事実を評価するものだ。一般には、期首に設定した目標を、6か月間や1年間といった一定の期間中にどのくらい達成することができたかを基準として評価を行う。なお、目標設定時に目標の難易度（設定度）も明らかにしている組織では、その点も考慮して評価を行うことになる。

　目標という形でアウトプットすべき成果が事前（期首）に明らかになっているのだから、評価時にはその成果が期待どおりであったかどうかを検証すればよいわけである。それだけに、目標設定は重要だ。後になって達成状態を検証できないような目標を設定してしまうと、人事評価は非常に困難なものになる。

　マネジャーの皆さんが成果評価を正しく行うためには、評価時点もさることながら、目標設定時にこそ注力すべきである。成果評価では、よい目標設定ができてはじめて評価の妥当性や納得性を確保できる状態になる。それが大前提であることを忘れてはならない。

（2）目標以外の仕事の成果も評価する

　ただし、目標の達成度だけが部下の成果のすべてではない。部下の目標達成プロセスにおいては、マネジャーも部下も当初は予想していなかったような成果が生み出されることは珍しいことではない。

また、目標以外の仕事であっても、その質や量が組織に十分に貢献する成果であると見なせるものもあるだろう。目標とは、当期の仕事において目指す中心的な成果を表したものであり、成果のすべてではない。"中心"があれば、"周辺"もある。周辺にも、組織に貢献する成果はあるものだ。

　マネジャーは、とかく最終結果としての目標の達成水準だけを見て評価の判断をしがちである。しかし、それら以外の成果にも目を向けて評価すべきだ。結果のみで判断するのでなく、組織貢献をした事実の全体を見ることが大事なのだ。

(3) 成果評価の5つのポイント

　以上の点を踏まえて成果評価を効果的に実行するためには、日常のマネジメントも含め、押さえておくべきいくつかのポイントがある。ここでは、その中でも特に重要となる5つのポイント（図表3-2参照）を紹介する。これらについて、次ページから順に確認しておこう。

図表3-2　成果評価の5つのポイント

目標設定時 （期首）	①目標を具体化する ②目標への合意を形成する
職務遂行時 （期中）	③目標の進捗管理を行う
評価時 （期末）	④目標の達成度を評価する ⑤目標外の成果も評価する

2. 目標を具体化する

(1) 目標は2～5つに絞る

　成果評価における目標とは、「重点職務」「重要成果」を特定したものだ。したがって、目標は、職務そのものではなく、職務全体の中で何に重点を置いて、それをどのレベルまで向上させるのかを表現したものでなければならない。

　職務とは、部下が遂行すべき仕事全体を指すのに対し、目標とは一定期間に成し遂げるべき具体的成果や結果を指すものである。職務分掌が各組織や部署の守備範囲（土俵）を定めた規定であるのに対して、目標はその土俵の上でどういう成果を出すかを具体的に表現したものと理解するとよいだろう。したがって、部下の職務に漏れなく目標を設定しようとしてはいけない。目標は、職務の中でも重要な部分に対して設定すればよいのだ。「より重要な職務を、よりよい状態にもっていく」という形で示すべきである。

　もし、部下が担当する職務すべてに目標を設定したらどうなるだろうか？　目標は10や20でも足りず、その設定や評価には多大な労力がかかるであろう。しかしそれ以上に、部下が目標達成に向けて努力できなくなってしまうことの方がより深刻な問題である。部下は、それほど多くの目標を日々の仕事の中で意識することはできず、目標は絵に描いた餅となってしまうだろう。

　部下が日々の仕事の中で意識できる目標の数は、せいぜい2～5つ程度である。目標は2～5つに絞って設定することが、部下の活動にとっても、成果評価を実施する上でも最適となる。

（2）目標は具体的な言葉で表現する

　目標は漠然としたスローガンのようなものでなく、具体的な到達点や結果を表すべきものである。目標設定は成果評価の基準を定めるものでもあるから、ピンボケな言葉を用いた目標はピンボケな評価につながってしまう。これでは、評価の納得性の面でも業績向上の面でも問題となる。達成すべき期待成果を明確にし、結果として達成の事実把握や検証ができるようにするために、目標設定時には図表3-3に掲げるような言葉を使用しないようにするとよいだろう。

図表3-3　目標として使用しない方がよい言葉

NGワードの例		説　明
・努力する ・徹底する ・目指す	・努める ・頑張る	目標は達成するために自らの意思で設定するものである。そのために努力したり頑張ることは当然の前提。左記の言葉自体が目標になることはない。
・支援する ・協力する	・助言する ・調整する	目標達成の主体が他者依存になるような表現は避ける。
・極力 ・できるだけ ・必要に応じて	・可能な限り ・なるべく	「できるだけやる」というのでは目標にならない。「どこまで（どの程度まで）できればよいのか」「どういう状態にもっていくのか」をはっきり意識すること。成し遂げるべき成果を特定すること。
・積極的に ・臨機応変に	・協調して ・迅速に	精神論や気持ちを記述することは達成基準をあいまいにし、事実の評価を妨げる。
・効率化する ・安定化する ・強化する ・推進する ・検討する ・勘案する	・明確化する ・共有化する ・向上する ・図る ・考慮する	具体的な内容が記述されていれば構わないが、漠然と「○○化する」と表現してあるだけでは達成基準にならない。何をもって達成したとするのか、どのように○○化するのかはっきりしない場合には、ほかの表現を考えてみる。
・等 ・etc.		目標の範囲をあいまいにさせる表現は避ける。

(3) 定性目標も具体化する

①必ずしも定量目標がよいとはいえない

　目標設定の際に、誰もが悩むもののひとつに定性目標がある。定性目標とはその達成水準を数値で表現できない目標のことである。これに対して達成水準を数値で表現したものが定量目標である。評価のしやすさを考えれば、当然、目指す水準が数値化されている定量目標の方が、達成度をデジタルに判断できるので扱いやすい。そのため、目標はできるだけ定量化するのが目標設定の原則的な考え方である。しかし、定量化しにくい目標を無理に数値化すると、かえって本質から外れた目標になってしまうことが多い。仕事の性質によっては、定量目標の設定が必ずしも好ましくない場合もある。

　例えば、商品開発業務の場合、「期限までに〇〇商品を開発する」「開発コストを〇％削減する」といった定量目標の設定がよくなされているが、それだけでは肝心の商品の品質への期待が部下には伝わらない。職場内で品質の基準があらかじめ共有されていればよいが、そうでなければ納期とコストだけを考え、品質には目が向かない部下が出てくるおそれがある。あるいは全体的に無難な品質の商品しか開発されない部署になってしまうかもしれない。あまりにも定量目標にこだわると、このように数値化しにくい重要な目標の要件が抜け落ちたり、質を軽視して量ばかりを追う部下が育ってしまうという弊害が出てくることもある。

　一般に、成果というものはQCD（Quality・Cost・Delivery：品質・費用・納期）という3つの要件を満たしている必要があるが、とくにQ（品質）については見落としがちである。マネジャーは目標を数値化するように部下を指導しがちだが、成果の品質を確保するためには、あえて定性目標を設定することも必要となるのだ。

②定性目標は達成状態を具体的な表現で記述する

　定性目標といえども、評価時にはその達成度を客観的に判断できるように設定しておくのが前提である。今期中に成し遂げるべき成果や改善された状態がわかるように、「〜の状態になっている」「〜の条件を満たしている」というように、達成状態のイメージを明らかにしておくとよい。図表3-4に示すように、目標が達成された状態を具体的な表現で記述することが重要である。また、図表3-3に示した「目標として使用しない方がよい言葉」が使われるのも、ほとんどの場合は定性目標の設定時なので、もちろんこれについても注意しなければならない。

　成果の品質にかかわる部分は、期首に当事者間での共有がなされないままに取り組んでしまうことが多く、評価の段階になってはじめて部下の自己評価と上司評価の食い違いが表面化することが少なくない。上司の心の中の暗黙の期待を文章化して部下とあらかじめ共有しておくことが、そうした評価ギャップの解消につながることになるはずである。

　評価の納得性ということ以上に、よい仕事をする、高い成果貢献を果たす、ということの意味を考えれば、こうした成果の品質にまつわる話し合いと共有は、目標設定時に十分に行うべきことである。

図表3-4　定性目標は達成状態を具体的な表現で記述する（例）

○新評価制度への移行について第1フェーズを完了している状態になっている
　①そのために以下の方策に取り組んでいる。
　　・○○を調査分析し問題点と改善策を打ち出す。
　　・△△手法を用いて××を実施する。
　②検証物として、「○○調査分析報告書」と「××改善対策計画書」をまとめている。
---

3. 目標への合意を形成する

(1) 目標のブレークダウンには十分なコミュニケーションが必要

　成果評価における目標は、どの組織においても「目標による管理（MBO）」の考え方に基づいて設定・運用されているのが実態だ。したがって、その考え方に従い、部下個々の目標は組織目標と連鎖させる必要がある。経営トップの目標は下位の階層へとブレークダウンされていき、マネジャーであるあなたにもブレークダウンされる。そして、あなたがその目標を職場の部下一人ひとりにブレークダウンすることで、目標連鎖はなされることになる。ここで意識すべきことは、マネジャーから部下への目標のブレークダウンは、単に各人の守備範囲を決める割り振りではなく、成果の分業をどのように行っていくかという戦略的意思決定であるということだ。

　その意味で、マネジャーは与えられた目標を部下に機械的にブレークダウンしても役割を果たしたことにはならない。全社方針や部門方針に即した形で職場目標を部下にわかりやすく翻訳したり説明して、部下一人ひとりの状況や能力に応じた職務課題を期待として投げかける必要がある。そして、部下はそれを受け止めた上で、自分なりの問題意識や取り組みたいテーマを勘案して個人目標を設定することになる。

　部下が設定した目標内容に不十分なところがあれば、マネジャーはしっかりと指導しなければならない。なぜ不十分なのか、どのように修正すればよいのかといったアドバイスをして、何度もコミュニケーションをとることが大切である。このように、目標のブレークダウンは、本来、十分なコミュニケーションを通してなすべきものである。

（2）合意形成なくしては高い成果も評価の納得も望めない

　もしも十分なコミュニケーションをとらずに部下に目標をブレークダウンすれば、部下にとってその目標は与えられたノルマという位置づけになる。そこでは目標への合意が形成されないので、部下は「よしやるぞ！」という気持ちにはなりにくい。そのため、仕事へのモチベーションが上がらず、結果として成果が出ないということにもなりうる。

　また、目標への合意が形成されていなければ、部下の評価への納得も得にくいだろう。もともと、その目標は自分で立てたものではなく勝手に決められたものだという意識が部下の中にあれば、目標を達成できなくても責任感は生じにくい。自分の中で「そもそも目標が高すぎたのがおかしい」という言い訳が成立し、マイナスの評価を受けても謙虚にそれを受け止めることはできなくなる。

　期首の目標設定は、マネジャーと部下が達成すべきゴールイメージを共有し、合意を形成するための重要な場面である。マネジャーは、部下の動機づけや評価のためにもコミュニケーションを惜しんではならない。

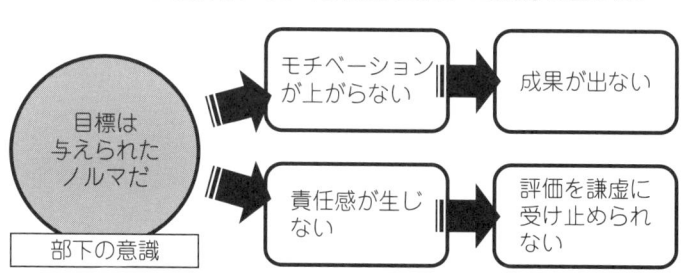

図表3-5　合意形成なくしては成果も評価への納得も望めない

部下の意識：目標は与えられたノルマだ
→ モチベーションが上がらない → 成果が出ない
→ 責任感が生じない → 評価を謙虚に受け止められない

4．目標の進捗管理を行う

（1）成果の品質について定期的に話し合い共有する

　先に、成果はQCDの3つの要件を満たしている必要があり、特に品質にまつわる話し合いと共有は、目標設定時に十分にすべきであると説明した。このことは、期中にも継続すべきである。期中にも、部下に期待する成果の品質について定期的に話し合い、共有することが大切となる。成果に関する費用や納期は数値化しやすく、部下も忘れずに意識していることが多い。これに対して成果の品質というものは、目標設定時に文章で具体化しておいたとしても忘れてしまいがちだ。それで、期中にも定期的に話し合い、共有する必要があるのだ。

　期中にこうした話し合いと共有を怠り、期末になってはじめて確認した部下の成果が品質の低いものだったら、あなたはどう評価するだろうか？　「費用と納期は満たしているが、品質が低いから評価はC（マイナス評価）だ」と伝えたとしよう。すると、「そんなに品質にこだわっていたなら、期中に何かいってほしかった」「品質について、マネジャーからそこまでは求められていなかった」などの不満が部下から生じることになるだろう。

　期中に成果の品質について定期的に話し合い共有することは、こうした両者の認識のギャップを埋め、部下の評価への納得性を高めることになるはずだ。また、この話し合いの中で発せられる品質についての「目指す成果は○○なものだったね」「○○な成果を期待しているよ」といったマネジャーからのメッセージは、部下には自分への期待として伝わりやすい。こうした日常の話し合いは、部下の動機づけのためにも極めて有効なものである。

(2) 目標の進捗管理を怠ってはいけない

　「目標による管理」の運用では、「自己統制」が重視される。組織や上司が部下の目標設定や達成行動を統制するのではなく、部下自身に自らの活動を自己統制させるべきとしている。それが部下を目標達成活動へと動機づけることになる。

　ところが、そのことが誤解を招くのか、期首に目標設定さえしておけば、期末までは部下を放任しておいてもよいと考えてしまうマネジャーが少なくない。さらに、成果評価についても、期末に目標の達成度さえ確認すれば、表面的には部下の評価ができてしまうので、ますます放任に拍車がかかってしまうようだ。しかし、部下を放任することがよいマネジメントではないことは、いうまでもない。

　部下がQCDを満たす成果が出せるように支援するためにも、マネジャーは部下の目標の進捗管理を怠ってはならない。

図表3-6　目標の進捗管理を怠ってはいけない

（○○な成果を期待しているよ！）

（期待に応えられるよう、○○な成果を目指しています！）

5. 目標の達成度を評価する

（1）目標の達成度評価では成果のQCDを検証する

　期末には、期首に部下が設定した目標の達成度を評価することになる。営業部門であれば売上目標を達成できたかどうか、業務部門であれば改善目標を達成できたかどうか、といったことを確認することになるだろう。

　ただし、前述したとおり、成果評価における成果はQCDの3つの要件を満たしている必要がある。したがって、結果が出た出ない、数字がいったいかなかった、という表面的な事実だけを見ての評価はすべきでない。その成果がQCDの3つの要件を満たしているかどうかもしっかり検証すべきである。

　営業部門の売上目標であれば、それを達成できたかどうかだけでなく、どのような価値ある取引や工夫をしたのか（品質）、出張費・交際費などの費用は適切だったか（費用）、期間内に数字を達成できていたか（納期）といった検証が必要だ。また、業務部門の改善目標であれば、やはり、その改善の質はどうだったのか（品質）、改善にかかった費用は適切だったか（費用）、計画どおりに達成できていたか（納期）といった検証が必要となるだろう。

　表面的には結果が出ていたとしても、いわゆる"棚ボタ成果"で仕事の質は低いものであったり、費用が異常にかかっていたり、納期が守られていないのであれば、その成果は期待どおりのものとはいえない。目標の達成度評価では、期首から期中において部下と確認し共有してきた成果のQCDが満たされているかどうか、その検証が大切となる。

（2）QCDの検証が評価の納得性を高める

　表面的な結果だけを見て下された評価と、成果のQCDがしっかり検証された上での評価では、部下にとってどちらが納得のいくものになるだろうか？　それはもちろんQCDすべての面で評価された方が、評価の納得性は高まるだろう。「マネジャーは結果だけでなく、成果の質も見てくれている」という部下の認識は、評価の納得性を大いに高めることになるはずである。

　また、QCDがしっかり検証された上での評価は、部下の成長にも寄与することになる。部下はQCDのどこに自分の課題があるのかをフィードバックされることになるので、次期に取り組むべき能力開発課題が明確になるし、そのことによって活動へのモチベーションも高まることになるだろう。

図表3-7　QCDの検証が評価の納得性を高める

6. 目標外の成果も評価する

(1) 目標外の成果も考慮する

　成果評価では、部下に期待する中心的成果を明らかにして当期目標を設定し、その目標の達成度によって評価をするのが基本である。したがって、部下には、目標を達成することが何よりも求められる。

　しかし、実際に目標達成のための活動をはじめてみると、その活動プロセスにおいて目標設定時点では想定していなかった成果が部下によって生み出されることが珍しくない。強力接着剤の開発過程から付せん（ポストイット）が発明されたり、血管拡張剤の開発過程から発毛促進剤（リアップ）が発明されたといった話などは、その典型的な事例といってよいだろう。研究開発部門の例をあげたが、このような例はほかの部門でも見られる。例えば、営業部門において将来性の高い販売チャネルを切り開いたり、生産部門において画期的な生産方式を取り入れたりなど、今後の業績に大きな貢献をもたらす例はどの部門でもあるはずである。

　もし、ここにあげたような目標外の成果が、「目標ではなかったから」という理由でまったく評価されなかったらどうだろう？　評価への納得性もさることながら、今後の部下の創造的な活動、新たな課題への挑戦といった取り組みを阻害することになってしまうだろう。したがって、たとえ目標外であっても、組織に貢献する成果と認められるものならば、それに見合った評価をすべきだろう。

　ただし、将来の業績への貢献まで勝手に見積もって評価をしてはならない。それはまだ達成していない成果だ。あくまでも、評価時点における成果の価値を検証して評価すべきである。

（2）職務全体の質と量も考慮する

　部下が生み出す目標外の成果というものは、なにも画期的な発明や改革ばかりではない。後輩を指導・育成した、有力な新規取引先を開拓した、業務手続きを改善した・・・、といった小粒ながらも組織に貢献する成果の方が、実際にははるかに多く存在するはずである。

　これらのひとつを取り上げて、通常よりも高い評価を与えるというわけにはさすがにいかないだろう。しかし、目標外の仕事であっても地道にいくつもの成果を積み上げている部下がいたとしたら、どうだろう。マネジャーとしては、こうした部下の成果も見逃すべきではない。それらの成果の積み上げが、十分に価値のあるものと認められるならば、やはり相応の評価をすべきである。

　成果評価では、目標の達成度だけでなく、職務全体の質と量も併せて評価することが望ましい。目標達成だけが、部下の職務のすべてではないのだ。

図表3-8　目標外の成果も評価する

Aさん
目標達成度110％。しかし、目標外の成果はなし。

Bさん
目標達成度105％。さらに、目標外に大きな成果あり。

Bさんの方を高く評価すべきだろう。

補足知識　バランス・スコアカードを目標管理に応用する

■ 先行指標を目標にするメリット

　成果評価における目標は、売上目標や利益目標など財務的指標を用いて表されることが多い。しかし、財務的指標は「結果指標」であるため、達成・未達成の結果は、半年後、1年後にならないと正確にはわからないという欠点がある。そのため、見込み数字を定期的に確認することによって目標達成の進捗状況を管理することになるが、見込みというものは往々にして外れるものである。見込み違いが判明したときには、もはや手遅れとなっていることが珍しくないだろう。このように結果指標だけを追いかけていると、どうしても対策が後手に回りがちである。

　そこで、「先行指標」で目標の進捗を管理する方が得策と考えられる。先行指標とは、最終的な結果につながる活動を定量化した指標である。例えば、営業部門の場合であれば、「売上目標を達成するためには、新規訪問件数毎月○件、企画提案回数毎月○件をこなす必要がある」といった仮説が成り立つだろう。それが先行指標となる。先行指標を目標にして管理すれば、期中の活動をしっかり管理でき、最終結果をより確実なものにできるはずだ。

■ 先行指標の目標化でプロセスをマネジメントする

　ところで、結果指標とか先行指標という言葉であるが、これは「バランス・スコアカード」(以下 BSC と記述) の考え方から出てきたものである。BSC は、戦略・ビジョンを4つの視点からビジネスユニットに落とし込むフレームワークとして知られているが、近年では多様な用い方がなされている。

部・課レベルの目標管理にBSCを応用するならば、図表3-9に示すように、結果指標である財務目標だけでなく、「顧客」「業務プロセス」「学習と成長」などの視点からも先行指標を検討し、目標を設定することが重要となる。具体的には、財務目標を成果目標とし、その下に行動目標として、顧客目標、業務プロセス目標、学習目標などを設定する。あるいは、財務目標以外に、顧客目標、業務プロセス目標、学習目標などにも、ある程度のウエートづけをした上で成果目標として設定する。

経営活動の結果は財務数値に表れるものではあるが、それにつながる活動としての先行指標も目標化することが、単純結果主義に陥りがちな成果主義を正しく運用することにもなる。目標には、こうしたバランスを考慮することも大事である。結果指標だけを目標として設定しても、戦略実行の力強さに欠けたものになってしまう。部下の活動プロセスをマネジメントするためには、こうした先行指標を日々の活動の中から見いだす努力も求められるのだ。

図表3-9　バランス・スコアカードを目標管理に応用する例

	結果指標	先行指標
BSCの4つの視点	・財務の視点	・顧客の視点 ・業務プロセスの視点 ・学習と成長の視点

↓

先行指標も目標化する

（参考：キャプラン、ノートン著／吉川武男訳『バランス・スコアカード』生産性出版（1997）を参考に作成）

第2節 能力評価とコンピテンシー評価の進め方

1．能力評価のポイント

（1）能力評価とコンピテンシー評価の進め方

　能力評価では、成果を出すために必要とされる能力の高低を評価する。具体的には、組織ごとに定めた職能資格要件書などの基準に照らして、部下がそこで求められる能力を身につけているかどうかを判断することになる。職能資格要件書は、一般に図表3-10に示すような評価項目で構成されており、評価項目ごとに職位・等級に応じて求められる能力の要件が定められている。

　コンピテンシー評価の場合、コンピテンシー・ディクショナリを基準に照らし、部下がそこで求められる行動がとれているかを判断する。評価の手順は基本的には、能力評価と同様と考えてよいだろう。

　なお、ここでは取り上げないが、態度評価も職能資格要件書などの基準に照らして行うもので、その手順は能力評価と同様である。

図表3-10　能力評価の評価項目の例

分類	評価項目	概　　要
基本能力	折衝力	自身の課題解決のために他者を納得ずくで動かす説得力、表現力
	判断力	自身の課題解決のために自らがとるべき行動を正しく決定する力、応用力
	指導力	組織の課題解決のために他者の能力、態度に働きかけ向上させる力
	企画力	組織の課題解決の方策を自ら考える力であり、計画力、創意工夫等の提案力
専門能力	知識	特定の領域(組織、業種、職務等)に固有の知識
	技能	特定の領域(組織、業種、職務等)に固有の技術

（2）能力評価とコンピテンシー評価の５つのポイント

　成果評価の場合には、上司と部下が目標設定によって自分たちで評価基準を決定する。これに対して、能力評価やコンピテンシー評価では、あらかじめ組織によって評価基準が用意されている。そのため、多くのマネジャーは期首や期中には何もせず、期末になってその基準を見て評価をすればよいし、成果評価よりも手間のかからないものと考えてしまうようである。

　しかし、それは間違いである。能力評価では部下が求められる能力を保有しているかどうかを、コンピテンシー評価では部下が求められる行動ができているかどうかを見いだす必要があるが、それは容易なことではない。能力や行動というものは成果のように数値化できるものではないし、成果物が出るものでもない。そのため、期末になってから簡単に評価することはできないのである。

　被評価者である部下にとって納得のいくレベルで、能力評価やコンピテンシー評価を実施するためには、期首や期中にもそれなりの努力が求められる。その努力のポイントは、図表3-11に示す５つである。これらについて、次ページから順に確認しておこう。

図表3-11　能力評価とコンピテンシー評価の５つのポイント

目標設定時 （期首）	①評価基準を部下の課題に翻訳する ②評価基準を期待として伝える
職務遂行時 （期中）	③観察を通して判断材料を収集する ④日常の「報・連・相」を徹底する
評価時 （期末）	⑤行動の再現性を検証する

2. 評価基準を部下の課題に翻訳する

(1) 期待要件を伝えることが評価への納得性を高める

　能力評価やコンピテンシー評価では、組織ごとに定められた職能資格要件書、あるいはコンピテンシー・ディクショナリを基準として評価を実施する。そのため、その基準について期首に上司と部下が確認し合うことが重要となる。

　これは、第2章1節で確認した人事評価の「原則1　期待する内容・水準を事前に示す」として説明したとおりである。マネジャーは、期首にそれらを部下に期待として示し、部下がその内容と水準を目指すことに合意を得ておかなければならない。事前にどのような能力（行動）が期待されているのか、その内容や水準が具体的に示されていれば、当然、部下の期末の評価結果に対する納得性が高まることになるだろう。

(2) 評価基準を具体的な課題に翻訳する

　ただし、職能資格要件書やコンピテンシー・ディクショナリを示して読み合わせた程度の確認では、期待要件が正しく伝わったことにはならない。そこで示される基準は抽象的な文章で表現されているため、人によってその解釈が異なってしまうからである。例えば、4等級の職能資格要件として、

> 企画力：チームレベルの課題解決の方策を自ら考え、提案する力がある

という項目があったとしよう。それをそのまま4等級の部下に示した場合、ある部下は「関係者の意見をまとめあげ、組織貢献度の高

い課題解決策を上位に提案できなければならない」といった高いレベルで解釈するかもしれないが、別の部下は「とにかく何か課題解決のための提案さえまとめられればよいだろう」といった低いレベルで解釈するかもしれない。このような見解への相違があれば、上司にとっても部下にとっても納得のいく評価はできない。

そこで、マネジャーによる翻訳が必要となる。『私たちの課でいう4等級の「企画力」は、業務改善課題をほかの部下と共有し、課会の席で改善提案ができるレベルだ』といった具合に、期首に評価基準を部下の具体的な課題に翻訳して伝え、共有しておくようにする。そうすれば、期末には「その課題を達成できたか、できなかったか」という判断が可能となる。部下との見解の相違もなく、部下の評価への納得性は高まることになるだろう。

図表3-12　評価基準を具体的な課題として共有する

3. 評価基準を期待として伝える

(1) 部下の成長のためにも期待を伝えることが大切

　職能資格要件書やコンピテンシー・ディクショナリなどの評価基準は、期首に具体的な課題として部下と共有しておくことが重要になると説明した。ただし、マネジャーの皆さんは、職能資格要件書やコンピテンシー・ディクショナリを単なる評価の基準として扱わない方がよいだろう。

　通常、職能資格要件書やコンピテンシー・ディクショナリは、「組織運営のためにはどのような人材が必要なのか」「従業員にどのような能力を開発してほしいのか、どのような行動をとってほしいのか」といったことが十分に検討された上でつくられている。つまり、これらは、評価ツールであると同時に、組織が従業員に対して示す期待のメッセージでもある。したがって、マネジャーは、評価基準を具体的な課題として部下に伝えるだけでなく、それを期待として伝えることも大切となる。

　前項の4等級の例であれば、『私たちの課でいう4等級の「企画力」は、業務改善課題をほかの部下と共有し、課会の席で改善提案ができるレベルである。あなたには、今期、そんな行動を期待しているよ！』といった具合に、マネジャーは、部下の課題を期待として伝えるとよいだろう。そうすることで、部下は、組織と上司が自分に何を期待しているかを明確に理解することができるようになる。

　自分にどういった能力の開発が期待されているのか、部下は自分では意外とわからないものである。評価への納得性を高めるだけでなく部下の成長のためにも、期首の面接などの機会にマネジャーは部下に期待をしっかり伝えることが重要だ。

（2）期待のメッセージが部下の成長に対してプラスの影響を与える

心理学の研究に"自己成就予言"というものがある。これは、予言を受け止めた人が、無意識のうちにその予言に沿った行動をとり、予言が的中してしまうことを指す。人間は予言された出来事に従って行動を起こす傾向があるというわけである。

相手に対して期待を示すことは、そういった効果を生むことになる。「あなたには、今期、そんな行動を期待しているよ！」「○○の課題に向けて、ぜひがんばってほしい！」—そんな期待のメッセージが、部下の成長に対してもプラスの影響を与えることになるのだ。

図表3-13　部下に期待要件をしっかり伝えることが大切

あなたには、○○な行動を期待しているよ！

期待に応えられるよう、○○な行動をとります！

4. 観察を通して判断材料を収集する

(1) 部下の行動の事実を知らずして的確な評価はできない

　能力評価やコンピテンシー評価を実行するためには、部下の職務遂行における行動の事実をしっかり把握している必要がある。「行動を見なくても、成果を見ればどのような能力が発揮されたかはわかる」という人もいるかもしれない。しかし、それは、推測や憶測でしかない。その成果がどのような能力の発揮によって生み出されたものかは、部下の行動からしか判断できないはずである。

　そのため、マネジャーは、期中において部下を観察し、日常的に部下一人ひとりの仕事ぶりや能力の発揮状況について情報収集を行う必要がある。部下の行動の事実を知らずして、的確な評価を行うことはできないのだ。

　しかし、すべての部下についてその行動のすべてを把握することは、現実には不可能である。そのため、部下の能力が発揮される場面に注目して観察を心がけるとよいだろう。

　また、部下の観察は、本来、人事評価のためだけに行うものではない。職場のマネジメントを遂行するために行うものでもある。そのため、極力、査定のにおいを感じさせないことが大事となる。査定のためではなく、部下の動機づけや能力開発、仕事の支援のために、各人の職務活動を見守る姿勢がなければならない。

(2) 観察を通して得られた情報を効果的に記録する

　部下の観察を通して得られた情報は、記憶が確かなうちに記録しておくことも必要である。いくら期中に観察をしていても、期末になってその記憶をたどっているようでは、効率が悪いばかりか、漏

れが生じたり、推測や憶測が混じったりし、正確な評価が難しくなってしまう。その都度、その時点での事実にもとづいて、部下の行動を記録することが原則である。

　もちろん、小さな出来事についてまで事細かに記録する必要はない。部下の能力が発揮された場面を見て、「期待どおりの仕事ができた」「要求されている能力水準に達している」「能力が伸びている」と実感したときに記録をするとよいだろう。その際、その業務の遂行過程とその結果については当然であるが、図表3-14に示す事項についても記録しておこう。

　特に、「マネジャーとしての指導内容と反省」についても記録しておくことは大切である。マネジャーには、部下と一緒に仕事に臨み、その過程を通して部下の能力開発を支援する責任がある。その意味では、部下を一方的に評価するだけでなく、当事者として自分自身のかかわり方についても自己評価しておくべきだろう。

　このように、日々のマネジメントの中で日常的に評価の判断材料を収集しておけば、期末の人事評価を部下にとって納得性の高いものにすることができるはずである。また、部下が次期に取り組むべき課題も明らかにできるだろう。

図表3-14　観察を通して記録すべき事項

①業務の遂行過程とその結果
②部下の発揮した能力
③部下の育成すべき能力と今後の課題
④マネジャーとしての指導内容と反省

5. 日常の「報・連・相」を徹底する

(1)「報・連・相」を徹底することで判断材料を収集する

　評価の判断材料を集めるには、部下の職務活動を観察することが基本である。しかし、今日の職場環境の下では、マネジャーが部下の職務活動を観察することが困難になってきている。フレックスタイム制やテレワーク型勤務の導入、あるいは複数プロジェクト参加型での業務遂行方式の採用などの影響で、職場のメンバーが同一時間に一堂に会して仕事を行うとは限らなくなっているからである。

　この問題を克服するためには、マネジャーが部下に「報告・連絡・相談」（以降、「報・連・相」と記述）を徹底することが大切である。報・連・相が徹底できていれば、部下は、上司に適時に仕事状況を「報告」するはずだし、アクシデントが発生すれば「連絡」をしてくるだろう。問題に直面したときにはその解決のために「相談」もしてくるはずである。その上司と部下のコミュニケーションの機会が、評価の判断材料を集める場にもなる。

　もちろん、報・連・相は職場のマネジメントを遂行するために徹底すべきもので、部下の評価のために行うものではない。しかし、部下からの報・連・相の場は、マネジャーが部下の行動や能力の発揮具合を理解する絶好の場となる。「企画を考える際に、○○を工夫しました」「お客さまには、○○に留意して働きかけました」「プレゼンテーションのときには、○○したことで成功しました」といった報告や連絡からは、部下が成果を創出する過程においてどのような能力を発揮し、行動したかという事実が見いだせる。さらに、部下からの相談を受けながら仕事が進んでいれば、部下の言動からより多くの事実を見いだせるだろう。

（2）効果的な質問が人事評価の納得性を高める

　ただし、成果を創出する過程において、どのように行動して能力を発揮したか、自分からは進んでは話さない部下もいるだろう。そのため、部下がどのような行動をしたのか、どのように能力を発揮したかを、マネジャーは効果的な質問をすることで聞き出す必要がある。

　そして、質問を通して、部下がうまく行動して能力を発揮した事実が見いだせたならば、マネジャーは、それを称賛し、動機づけることを忘れてはならない。逆に、いくら質問してもほとんど回答が得られず、部下が能力を発揮した事実が見いだせなかったならば、マネジャーは、部下にどのような行動をし、どのように能力を発揮すべきかを指導する必要がある。

　こうした上司と部下の日常のやり取りこそが、実は、期末の人事評価への部下の納得性を大いに高めることになる。なぜならば、この過程を通して、上司と部下は評価の判断材料を共有することになるし、その材料に対する両者の認識ギャップを事前に埋めることになるからである。

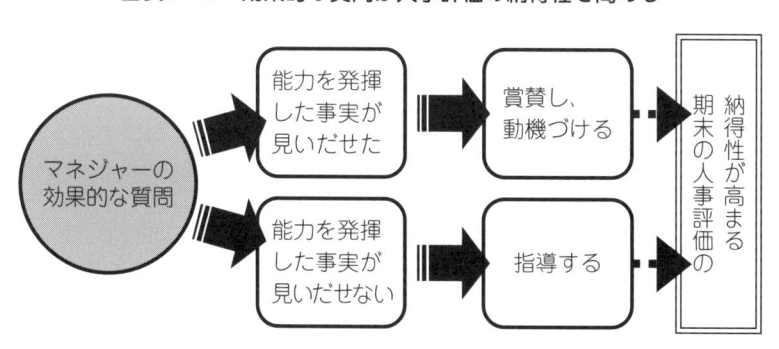

図表3-15　効果的な質問が人事評価の納得性を高める

```
                  ┌─能力を発揮─→─賞賛し、─┐
                  │ した事実が    動機づける  │
マネジャーの─┤ 見いだせた              ├→納得性が高まる
効果的な質問  │                          │  期末の人事評価の
                  └─能力を発揮─→─指導する─┘
                    した事実が
                    見いだせない
```

6. 行動の再現性を検証する

(1) 能力は行動を通して評価する

　観察や報・連・相によって評価の判断材料を集めるにしても、「能力は目には見えないものなので、その評価に戸惑っている」と考えているマネジャーは少なくないだろう。実際、能力評価に代えて、コンピテンシー評価を導入する組織もある。

　前述したとおり、コンピテンシー評価では部下の「能力」でなく「行動」を評価する。例えば、能力評価でいう「折衝力」という評価項目であれば、コンピテンシー評価では「職場の代表として、関係部署との交渉を効果的に実行している」「話し合いによって双方のメリットを最大化するような調整をしている」といった行動レベルで表現されている。行動は目に見えるので、能力よりも評価しやすいことがわかるだろう。

　しかし、あなたの組織が能力評価を用いているからといって、決して悲観することはない。能力評価でも、コンピテンシー評価と同様に評価をすればよいのだ。つまり、能力評価であっても、部下の能力ではなく、部下の行動に着目すればよい。例えば、「折衝力」であれば、「職場の代表として、関係部署との交渉を効果的に実行している」かどうかといった行動を、その能力を保有しているかどうかの判断基準にすればよいわけである。

　もともと能力評価は、部下の潜在的な側面も含めた保有能力を見ていこうとするものだが、実際のところ、それは特別な方法を用いて訓練された人間（アセッサー）でなければ、まず不可能である。したがって、職場マネジメントが本業であるマネジャーとしては、部下の潜在能力ではなく、「行動として発揮された能力」を見るよ

うにするのが現実的である。その方が、結果的に部下にとっても納得のいく評価になるだろう。

（2）再現性をしっかり検証した上で評価する

ただし、能力評価でもコンピテンシー評価でも、部下が求められる行動を一度でもとれたからその能力を保有していると、短絡的に考えてはいけない。今後も、今回と同じように行動できなければ、その能力を保有しているとはいえないからである。

「再び同じような状況に遭遇しても、今回と同じように行動し、能力を発揮できる」「今後もこの行動をくり返して、価値ある成果を創出できる」――このように、「再現できる」と判断できてはじめて、部下はその能力を習得したと見なすべきである。能力評価とコンピテンシー評価では、部下のその行動が再現性のあるものであるかどうかをしっかり検証した上で評価することも重要なのだ。

図表3-16　再現性をしっかり検証した上で評価する

補足知識　コンピテンシーと能力

■□ コンピテンシーは高業績者の調査から生まれた

　本書に再三登場する「コンピテンシー」という用語であるが、ここでその生い立ちを確認しておこう。

　コンピテンシーの起源は、ハーバード大学の心理学者マクレランドらによって実施された、アメリカの旧国務省での外交情報員の選抜基準に関する調査にあるといわれている。外交情報員として採用された人たちは、学歴も能力も極めて高いと認められた人物ばかりであったが、数年たつと高業績者とそうでない人材とに明らかに差がついていたそうだ。そこでマクレランドらがその原因調査を依頼された。

　そして、調査の結果、高業績者には共通する以下の3つの行動特性があることがわかった。

・異文化における対人関係が優れている
・苦手な相手でも人間性を尊重することができる
・人脈を知り、構築するのが速い

　この調査から、コンピテンシーは「成果に向けた意図のある行動をとる能力」と理解されるようになった。そして、その後、米国のコンサルティング会社などが、企業の人事システム構築や運用のための道具として普及させていった。

　日本においては、2000年代初めぐらいから成果主義人事制度の中にコンピテンシー評価を導入する組織が見られるようになった。

■□ コンピテンシーと能力の違いはなくなってきている

コンピテンシーという言葉は直訳すると「能力」となるが、人事管理の世界では「意図のある行動」を意識したものである点で、能力評価における「能力」という用語とは区別されて用いられている。

しかし、近年では、能力評価においても、部下の行動を通して確認された能力（顕在能力）を評価するようにしたり、職能要件に「〜している」「〜できる」といった具体的な行動表現を用いる組織が増えてきている。その一方で、具体性を重視するあまりに詳細につくり込んだコンピテンシー・ディクショナリが実際には使いにくかったことから、その文章表現をより抽象度の高いものに修正する組織も見られる。そのため、人事評価の運用場面においては、コンピテンシーと能力との違いは徐々になくなってきているといってよいだろう。

図表3-17　コンピテンシーと能力の違いはなくなってきている

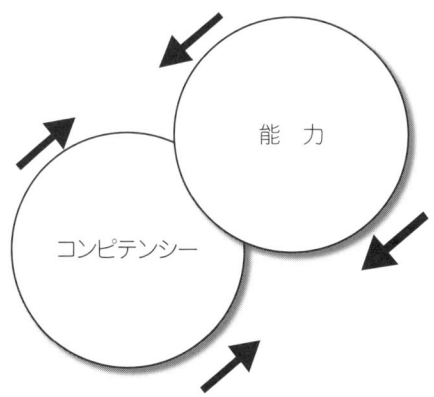

第3節 成果評価と能力評価・コンピテンシー評価の関係

1．複数の評価要素が併用されるのはなぜか

　成果評価と能力評価・コンピテンシー評価の進め方のポイントを確認したが、これらの評価要素がどのような関係にあるかということについても、ここで理解しておくことにしよう。

（1）能力・態度・成果・行動の関係

　能力、態度、成果、行動といった評価要素の関係は、次ページの図表3-18のようにまとめることができる。

　"能力"とは、日々の活動を通して部下の中にIn putされるものである。しかし、部下が能力をIn putしているだけでは、Out putとしての"成果"は期待できない。積極性、責任性、協調性、規律性といった部下の職務に取り組む"態度"があっての成果だ。つまり、"能力"に"態度"が伴って、はじめて"成果"がOut putされるわけである。

　このように考えると、能力・態度・成果という3つの評価要素は、部下が行ったIn putからOut putまでの一連の仕事のプロセスを3分割して、バランスよくとらえていることが理解できる。

　また、"行動"については、能力と態度を包含するものと考えるとよいだろう。つまり、部下が期待される"行動"をとるから、期待される"成果"がOut putされるというプロセスでとらえることができる。そのため、能力評価と態度評価に代えて、"行動"を評価要素とするコンピテンシー評価を採用する組織もあるのだ。

（2）複数の評価の組み合わせが成果に偏らない評価を実現する

　第1章で説明したとおり、多くの日本の組織は成果評価に重点を置いた成果主義型人事制度を導入しているものの、実際には成果評価・能力評価・態度評価の3つ、あるいは成果評価・コンピテンシー評価の2つを組み合わせて人事評価を行っている。このように複数の異なった評価方法を用いるということは、評価者の立場からすれば、手続きが煩雑になるので、できれば避けたいところである。いっそのこと成果評価一本で評価した方が、評価業務が効率化すると考えるマネジャーも多いだろう。

　それにもかかわらず、多くの組織がこのように複数の評価方法を組み合わせたしくみを採用しているのは、仕事のプロセスを分割して評価を行うことで、"成果"というOut putだけに偏らない評価を目指しているからである。

図表3-18　各評価要素の関係

要素	In put →	Through put →	Out put
	能力	態度（情意）	成果（業績）
	行動（コンピテンシー）		
意味	業績を出すために必要とされる能力の高低を評価する	能力を業績達成へ向けて的確に方向づける姿勢を評価する	職務活動の取り組みの結果としての業績の事実を評価する
評価結果の活用例	昇給の成績係数に反映する 昇進昇格の審査要件に反映する 人材育成のデータとして活用する	能力の評価と業績の評価それぞれの内容と同じ	賞与に反映する 人材育成のデータとして活用する 業務改善や職場革新のデータとして活用する

2. 能力評価とコンピテンシー評価の重要性

(1) なぜ成果だけで評価をしないのか

　すでに述べたとおり、成果評価は比較的短い期間でのアウトプットを見て評価するものなので、皆が短期的な成果だけを追い求めるようになりかねない。つまり、中長期的な課題、特に従業員の中長期的な能力開発がおろそかになってしまうことがある。また、成果というものは、内外の環境変化や運・不運に左右されやすい。もし部下が高い"能力"を発揮し、好ましい"態度"で仕事に臨んでいても、不運にも期待される結果が出せなければ、成果評価の下では不遇とせざるをえない。

　もし"成果"というOut putだけで人事評価を実施し、その結果を賃金・ポストなどのあらゆる面に反映させれば、そのような問題が多発し、経営に悪影響を及ぼすことになる。そこで、多くの組織は、複数の評価を組み合わせることで、成果を出すための能力や態度、あるいは成果を出すための行動も評価するしくみを採用しているのだ。

(2) 能力評価とコンピテンシー評価は「今後の貢献への期待」

　近年では、特に能力評価とコンピテンシー評価の重要性が見直されるようになってきた。目標の達成度合いを重視する成果評価では、運・不運が影響しても、それを十分には考慮しきれない場合が多々あるからである。

　能力評価やコンピテンシー評価では、不運にも成果が出なかった部下がいたとしても、その活動プロセスで発揮された能力や行動が再現性を期待できるものであるならば、それを高く評価できる。逆

に、明らかに運だけで成果を出した部下は、活動プロセスに発揮された能力や行動が期待レベルに達していないはずなので、少なくとも高くは評価できないだろう。このように能力評価やコンピテンシー評価には、成果評価では考慮しきれない部下の活動プロセスにおける貢献度合いの高低を評価できるというメリットがある。

組織が永続的に成長していくためには、事業年度ごとにしっかり成果を出す必要があるが、一方で、将来に向けて成果を創出し続けられる人材をプールしていくことも不可欠だ。成果評価が前者のために「当期の成果への褒賞」を与えるものならば、能力評価とコンピテンシー評価は後者のために「今後の成果への期待」を表す機能を果たしているということができるだろう。

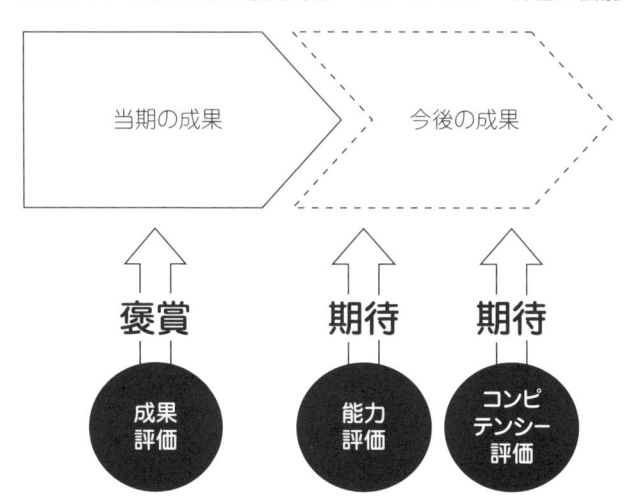

図表3-19　成果評価と能力評価・コンピテンシー評価の機能

補足知識 「弱いから負けた」と語ったトップアスリートの評価は？

■ 「弱いから負けた」という部下をどう評価するか？

「弱いから負けたんです」、期待されつつも敗れたトップアスリートからよく聞かれるせりふだ。2000年シドニー・オリンピック柔道100kg超級決勝戦で惜敗した篠原信一選手、それから絶頂期の2代目貴乃花関が優勝決定戦で負けたときにも、同様のせりふを口にしたことがあった。結果が出なかったのだから言い訳はしない。プロのアスリートらしい潔さを感じるせりふだ。

ところで、もし能力の高い部下が、懸命な努力をしたにもかかわらず、惜しくも目標を達成できなかったとしよう。そのとき、部下が何の言い訳もせずに、「自分の能力が低いから結果が出なかった。それだけです」などと返答してきたらどうだろう。その謙虚な姿勢に好感を抱くばかりか、頼もしさすら感じるのではないだろうか。「なんとかよい評価をしてあげたい」、上司であればそんな情をもつかもしれない。しかし、ご承知のとおり人事評価において情に流されることはタブーである。さて、あなただったら、そんな部下をどのように評価するだろうか？

■ 結果が出なかったからといって能力が低いとは限らない

この模範解答はその組織の人事評価のルールにもよるが、目標が達成できなかったのだから、通常は成果評価において低い評価を下すことになる。これはプロのアスリートと同様だ。アスリートが勝利という目標を達成できなければ、報奨金を手にすることができないのと同じことである。

しかし、結果が出なかったからといって必ずしも能力が低いとは

限らない。したがって、能力評価・態度評価、コンピテンシー評価において、「本当に能力が低かったのかどうか」をマネジャーが検証して判断する必要がある。「今回は明らかに誤審が原因で負けた。そうでなければ勝ったはずだ」、あるいは「けがが原因で負けた。完治すれば、次は絶対に勝てるはずだ」と判断できれば、勝つために必要な能力や態度、コンピテンシーは発揮されているのだから、それ相応の評価を与えることができる。

たとえ期待された勝利を逃したトップアスリートであっても、実力があり将来に期待できると評価されれば、スポンサーや協会団体が経済的支援を行うことになる。能力・態度、コンピテンシー評価の性質は、それに近いものといってもよいだろう。

図表 3-20　「弱いから負けた」という部下をどう評価するか？

結果が出なかったのは、明らかに不運のせい。結果を出すために必要な能力は十分なのだから、能力評価までもマイナスとすべきではないな。

私の能力が低いから結果が出なかったんです。

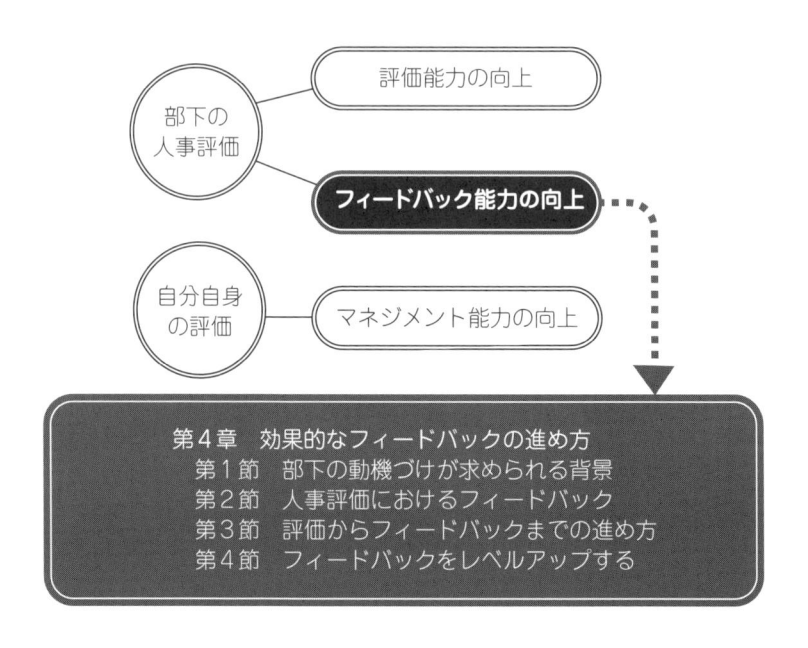

第4章
効果的なフィードバックの進め方

- 部下の人事評価
  - 評価能力の向上
  - **フィードバック能力の向上**
- 自分自身の評価
  - マネジメント能力の向上

第4章　効果的なフィードバックの進め方
　第1節　部下の動機づけが求められる背景
　第2節　人事評価におけるフィードバック
　第3節　評価からフィードバックまでの進め方
　第4節　フィードバックをレベルアップする

◆第4章の概要◆

> 人は、マイナスの評定結果をどうとらえ、どう納得するのだろうか？

〔例題〕

　あなたがある企業の営業担当者であると仮定しよう。入社以来、順調に成績を上げ、それなりに評価されてきたあなたが、今期は取引先の業績不振などが重なり、売上目標を70％しか達成できなかった。厳しい状況だっただけに、今期はこれまでにないほど、誰よりも努力をしたにもかかわらずの結果であった。

　結局、あなたは人事評価で上司から素っ気なくマイナスの評定結果を言い渡された。さて、あなたはどんな気持ちになるだろうか？

> 結果が出なかったな。君の評価は「C」ね。以上！

> そっ、そうですか…。

皆さんは、前ページの例題にどう答えただろうか？「営業だから仕方がない」「運が悪かったと割り切るしかない」、そんなふうに考えた方が多いだろう。しかし、そうは答えてみたものの、実際にこのような境遇にあえば、何か納得しきれない気持ちが残り、それなりに落ち込むものである。

ところで、このような評価のとき、「今回は残念な結果だったが、君には○○という素晴らしい能力があるではないか。次に期待しているよ」といった上司のコメントが伴っていたらどうだろうか？ あなたの落ち込みはだいぶ緩和され、気持ちを新たにすることができるのではないだろうか。マネジャーのこのような評価コメントは、マネジャー自身が思っている以上に部下を動機づけるものである。人事評価をするということは、単に査定を行うことではない。効果的なフィードバックを行うことで、部下を次期の活動に向けて動機づけることも人事評価の一環なのである。

第4章では、フィードバックの必要性や効果的な実施方法について、図表4-1に示す流れで学習する。

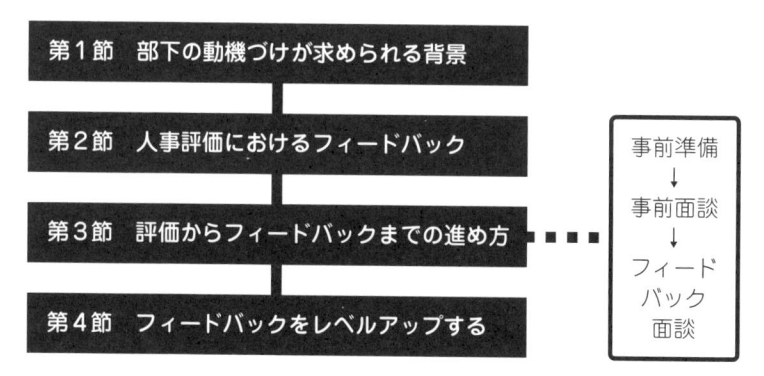

図表4-1　第4章「効果的なフィードバックの進め方」の構成

- 第1節　部下の動機づけが求められる背景
- 第2節　人事評価におけるフィードバック
- 第3節　評価からフィードバックまでの進め方
- 第4節　フィードバックをレベルアップする

事前準備
↓
事前面談
↓
フィードバック面談

第1節 部下の動機づけが求められる背景

1．部下の動機づけも人事評価の大きな目的

（1）評価を通じた部下の動機づけは意外とできていない

　公正・妥当で部下にとって納得性の高い評価を実施するためには、どういったことが必要となるだろうか？　第一には、評価者であるマネジャーが人事評価制度の考え方や人事評価の留意点をしっかり理解していることがあげられる。さらに、その上で明確な判断の根拠をもって理にかなった評価を実施することも必要である。そのための知識やスキルについては、第1章～第3章で学習した。したがって、皆さんは人事評価にだいぶ自信をもったのではないだろうか。

　しかし、部下にとって納得性の高い評価ができれば、人事評価スキルは十分というわけではない。現代のマネジャーには、評価を通じて、いかに個々の部下を仕事へと動機づけられるかということも問われているのである。ところが、これは簡単なことではない。

　第1章第3節において、現場のマネジャーにとっての人事評価の真の目的は「能力開発」「職務割当」「動機づけ」の3点にあることを確認した。優秀なマネジャーであれば、評価を通じて部下の「能力開発」のための課題を明確にして手を打っているだろうし、部下の成長に寄与する「職務割当」を行っているだろう。評価を通じて部下の能力や意欲、職務遂行の成果などを的確に把握していれば、それはできるはずである。しかし、「動機づけ」については、意外とできていないのが実際のところではないだろうか。

(2) 部下の動機づけはマネジャーの重要な役割

　このように説明すると、「動機づけなんて本人の問題ではないのか？」「上司がそこまでやるべきなのか？」「処遇で報いているのだから、それで十分ではないのか？」といった疑問を抱くかもしれない。しかし、大事なことを忘れてはいけない。皆さんは考課者である前に、職場を預かるマネジャーだ。単なる「人事評価の担い手」ではないのだ。個々の部下に効果的に働きかけ、仕事へと動機づけることは、マネジャーの重要な役割のはずである。そして、それは人事評価のプロセスにおいても、同様に求められる役割なのである。

　ところで、近年、「部下の動機づけ」というテーマが、多くの組織にとっての関心事になっている。それはなぜなのか、まず、その背景について確認しておこう。

図表 4-2　部下の動機づけも人事評価の大きな目的

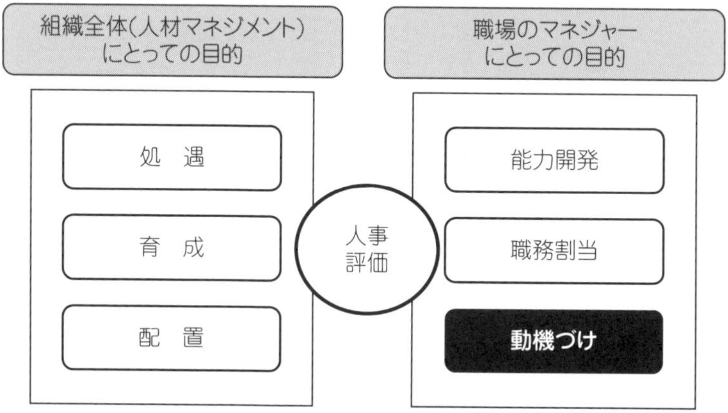

組織全体（人材マネジメント）にとっての目的	職場のマネジャーにとっての目的
処遇	能力開発
育成	職務割当
配置	**動機づけ**

（中央に「人事評価」）

2．成果主義の導入だけではモチベーションは上がらない

（1）成果主義の導入だけではモチベーションは上がらない

　近年、「従業員の仕事へのモチベーションをいかに上げるか」ということが多くの組織において課題となっている。成熟化社会の常なのか、景気減速感の影響なのか、その理由にはさまざまな要因が考えられるが、1990年代に日本企業に広まった成果主義型人事制度の導入がその大きな契機となったとするのがおおかたの見方である。

　第1章で述べたとおり、かつての日本企業の人事制度には、終身雇用や年功序列といった日本型雇用慣行が生きていた。その下では誰もが昇給し、昇格し、より豊かな生活を手に入れることができた。賃金とポストによる処遇制度が、従業員のモチベーションを支えていたのである。しかし、バブル崩壊後、どの企業にとってもその維持は困難になった。右肩上がりの経済成長を前提とすることができず、誰もが昇給していくしくみはとれなくなった。ピラミッド型の人員・年齢構成を維持できず、年功さえ積めば誰もがポストを与えられるしくみの維持も不可能になった。また、激しい競争に勝ち残るためにも、総人件費を抑制する必要があった。そこで、成果主義人事制度が着目され、多くの日本企業でその導入が進んだ。

（2）賃金は衛生要因にすぎない

　当初、多くの組織は、成果主義の導入は「やればやっただけ給与が上がる」しくみなのだから、従業員のモチベーションは高まると考えていた。ところが、実際にはそのとおりにはならなかった。

　かつて、アメリカの臨床心理学者ハーズバーグは、二要因理論に

おいて、人間の欲求には図表4-3に示す動機づけ要因と衛生要因の2種類があると説明した。動機づけ要因が満たされると人は職務満足度が高まるが、満たされないからといって満足度が下がるわけではない。反対に、衛生要因が満たされたからといって人は職務満足度が高まるわけではないが、満たされないと不満足を引き起こす、と結論づけた。仕事へのモチベーションの主たる要因は賃金と考えられがちだが、そうではないということである。二要因理論に照らせば「賃金」は衛生要因であり、従業員の職務への不満足は解消できても、それだけで仕事へのモチベーションを上げることは困難なのである。

　成果主義を導入した一部の企業では、さらに悪いことに「成果主義＝結果数字だけで従業員を評価する制度」という誤解も生じた。そこでは職務活動のプロセスを無視して結果だけによる評価がなされるようになったため、従業員は目先の成績結果、自分個人の成績結果のためだけに努力するようになってしまった。結果として、組織内のコミュニケーションやチームワークが低下し、かえって従業員の仕事へのモチベーションダウンを招く事態も生じた。

図表4-3　動機づけ要因と衛生要因

動機づけ要因	衛生要因
満たされると職務満足度が高まる。満たされなくても不満足は引き起こさない。	満たされても職務満足度は高まらない。満たされないと不満足を引き起こす。
〈仕事の満足にかかわるもの〉達成、承認、仕事そのもの、責任、昇進、成長の可能性など	〈仕事の不満足にかかわるもの〉会社の方針と管理、監督、仕事上の対人関係、作業環境、身分、安全保障、給与など

3. 組織主導の動機づけからマネジャー主導の動機づけへ

(1) 一律の施策では動機づけが困難な時代

　このように説明すると、成果主義が悪いものであるかのように思われたかもしれないが、そうではない。成果主義の導入は必然のことであり、組織にとっての真の課題は成果主義の下でどうやって従業員のモチベーションを上げるかである。どの組織も、時代に合った新たな動機づけ要因を見いださなければならないのである。
　「おいしくておしゃれな社員食堂を用意する」
　「インテリア性の高いオフィスや会議室を用意する」
　「イベントを実施して皆で楽しむ場をつくる」
　先進的な企業は、職場環境を改善すべくいろいろな手を打っている。しかし、こういった施策は衛生要因として効果はあるが、直接的な動機づけ要因にはならない。従業員の会社への愛着や誇りを育(はぐく)むことはできても、仕事へのモチベーションを上げることにはならないのである。
　また、経済的に豊かになり、従業員の働く価値観が多様化している現代にあっては、一律の施策で全従業員の動機づけを行うこと自体が至難の業となっている。ひとつの施策がある特定の人たちのやる気を高めたとしても、一方で、ほかの人たちのやる気をそいでしまうことになりかねない。結局のところ、従業員一人ひとりの個別の欲求に応えなければ、仕事に動機づけることはできないと考えるべきだろう。現代は、組織をあげて一律の施策によって従業員のモチベーションを上げることは、非常にむずかしい時代といえるのだ。

（2）部下のモチベーションはマネジャー次第

　では、どういったことが従業員の「動機づけ要因」となるのだろうか？　あなた自身が仕事へのモチベーションが高まったときのことを考えてみてほしい。
「重要な案件を任されたとき」
「大きな成果を出せたとき」
「興味があることについて研究したとき」
　そんな経験が思い起こされただろう。つまり、そういった状況に部下を置いてあげればよいわけである。そして、そうすることに最も配慮できるのは、現場のマネジャーであるあなた自身にほかならない。
　反対に、あなた自身が仕事へのモチベーションが下がったときのことを考えてみてほしい。
「上司からああしろ！こうしろ！と一方的に命令されたとき」
「大きな組織貢献をしたのに、上司が評価してくれなかったとき」
「上司の方針に納得できなかったとき」
　といったように、上司に関することが多かったのではないだろうか。上司という存在は、思いのほか、部下のモチベーションに影響を与えるものなのである。
　一律の施策によって従業員のモチベーションを上げることが期待できない現代にあっては、従業員のモチベーションに上司が与える影響は大きい。組織の従業員のモチベーションが上がるも下がるも、現場のマネジャー次第といっても過言ではないだろう。「モチベーションなんて本人の問題だ」といった理屈はもはや通用しない。部下をいかに動機づけることができるか、マネジャーにはその力量が問われる時代なのだ。

4. マネジャー主導での動機づけのポイント

(1) 部下のモチベーションが上がる7つの場面

　部下をいかに仕事へと動機づけるか、現代のマネジャーにはその実践が求められているわけだが、もちろん、それは簡単なことではない。人の価値観が多様化し、何によって動機づけられるかは部下個々人によって異なるからである。

　ただし、人の仕事へのモチベーションはどういうときに高まるのかということについては、私たちは経験からある程度理解している。その場面を想像してみると、おおかた図表4-4に示す7つの場面が思い起こされるだろう。マネジャーがこれらの場面に踏み込んで効果的な支援を行っていけば、部下の仕事へのモチベーションを上げることができるだろう。

(2) 人事評価で重要となる動機づけ策

　人事評価のプロセスに限定して部下の動機づけ策を考えるならば、特に「承認」「期待」の2点に注目するとよいだろう。図表の7つの場面の中でも「承認」「期待」は、周囲からの客観的な評価に基づくものだ。それだけに、評価結果のフィードバックの際に効果的に活用できるはずである。

　部下の能力や行動に少しでも進歩を感じたら、「なかなかやるね」「たいしたもんだ」などと部下の能力や成果などについて"承認"することが大切である。また、「あなたならできる！」「ぜひ君ならではの能力を発揮してほしい！」といった具合に"期待"を示すことも重要だ。自分の能力や行動が承認されたり、期待を示されたりすることによって、部下は自分自身の有能さを実感し、仕事への内発

的動機づけが促進されることになる。評価結果のフィードバックの際にそういった働きかけを行うことで、マネジャーは部下のモチベーションを着実に上げることができるだろう。

図表4-4　部下のモチベーションが上がる7つの場面

意味づけ	「その仕事そのものに興味がある」「自分の成長の可能性が感じられる」「自分の能力を活かせる」といったように、その仕事に自分にとっての意味や価値を強く感じているとき
見通しづけ	「こうすればできそうだ」「やりきる自信がある」といったように、自分の力でできると思えるとき
達成体験	「満足のいく仕事ができたとき」「困難な仕事をうまく進められたとき」など、実際の達成体験を通して自分の能力に自信をもったとき
承認	「取り組んだ仕事について上司から評価されたとき」「顧客から感謝されたとき」など、周囲から自分の行動や能力が承認されたとき
期待	「あなたならできる」「ぜひ君ならではの能力を発揮してほしい」といった具合に、関係者から期待されているとき
権限	権限が与えられ、自分の裁量で自己決定していることを実感して、指し手感覚で仕事を進めているとき
地位	責任と権限のあるポジションを与えられたとき

補足知識　外発的動機づけと内発的動機づけ

■ 外発的動機づけと内発的動機づけ

　マネジャーが部下の動機づけを効果的に行うためには、「外発的動機づけ」と「内発的動機づけ」の2つについて理解しておくとよいだろう。

①外発的動機づけ

　褒められたり叱られたり金銭的報酬を与えられたりすることは、外部から与えられる動機である。このように外部から「賞」や「罰」を与えて、行動を引き起こすことを「外発的動機づけ」と呼ぶ。

　外発的動機づけの状態では、本人は受け身の存在にすぎない。そのため外発的動機づけだけで動かそうとすると、部下は報酬の方に目がいってしまい、仕事そのものへの興味を損なうことがある。また、外発的動機づけがなされなくなると、行動そのものが途絶えてしまう可能性もある。「賞」を与えなくなると行動が消えてしまい、「罰」が効かなくなると行動が起きなくなることがあるわけである。

②内発的動機づけ

　これに対して、本人が自発的に見いだしたものを動機として行動を起こすことを「内発的動機づけ」という。「もっとうまくできるようになりたい」とか、「もっとわかるようになりたい」という向上心などが、個人の内面で働いている状態だ。内発的動機づけでは、評価の基準は自分の中にあるため、部下はその基準に従って自分で自分を動機づけて行動するようになる。

　外部からの働きかけによってではなく、部下が自らの意志で行動

するには、内発的動機づけが必要だ。マネジャーとしては、部下の内発的動機を刺激し、行動を活発化させたいところである。

モチベーションを持続させるには、彼／彼女らの内面にあるパワーに頼るほかない。こうした内発的動機づけがあってこそ、行動は持続するのである。

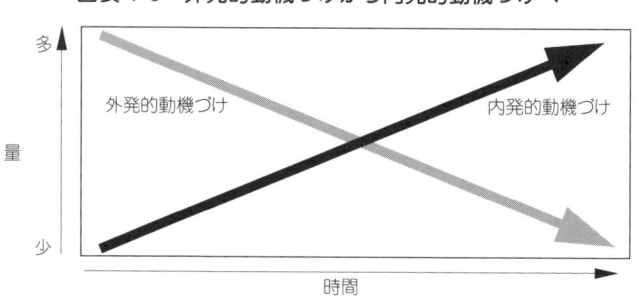

■ 外発的動機づけから内発的動機づけへ

ただし、必ずしも外発的動機づけが悪いということではない。外発的動機づけの中でも、「認める」「期待する」「新たな課題の提供」「仕事の拡大」といった心理的な報酬は、給与や賞与といった経済的報酬よりも、内発的動機づけに結びつきやすい。マネジャーは、こうした心理的な報酬を積極的に活用するとよいだろう。

最初は外発的動機づけによってなされていることであっても、続けていくうちに部下に内発的動機づけが生じることはよくあることだ。しかし、いつまでも外発的な動機づけをし続けるのではなく、図表4-5に示すように、外発的動機づけの量を徐々に減らしていって、内発的な動機が高まるように支援することが大切である。

図表4-5　外発的動機づけから内発的動機づけへ

第2節 人事評価におけるフィードバック

1．評価を通じて部下を動機づけるには

(1) 評価を通して部下の前向きな欲求を満たしていくことが大切

「人はパンのみにて生きるにはあらず」という言葉のとおり、部下はよい査定や、より高い賃金を得るためだけに働いているわけではない。「マネジャーや周囲に自分の価値を認めてもらいたい」「組織に必要な人材であることを実感したい」「今後の活躍に期待してほしい」——部下には、そんな欲求もあるはずである。

人事評価を通じてこうした欲求を満たすことができれば、部下を仕事へと動機づけることができるはずだ。それがしっかりできれば、たとえマイナスの評定結果を言い渡されたとしても、それを前向きにとらえることだってできるだろう。マネジャーは、評価を通して部下のそうした前向きな欲求を満たしていくことも大切なのである。では、どうしたら、マネジャーは部下の欲求を満たし、仕事へと動機づけることができるのだろうか。

(2) 人事評価では効果的なフィードバックの実践も不可欠

人事評価では、どうしても「部下の処遇を決めるための査定」という側面がクローズアップされがちである。しかし、査定をしているだけでは部下の前向きな欲求を満たすことはできない。

部下の前向きな欲求を満たすには、評価結果のフィードバックの際に「承認」や「期待」を示すことが有効となる。つまり、評価を通じて動機づけを図るためには、承認や期待を込めた「効果的な

フィードバック」を実施する必要がある。

　もともと「評価」という言葉には、大きく2つの意味がある。1つは、「価値を判断して定める」という査定的な意味。そしてもう1つは、「価値を認める」という存在の値打ちを認知する意味である。効果的なフィードバックとは、後者を実践することを指す。人事評価では、「部下の能力や成果などの価値を判断して定める」という一般に理解されている評価業務だけでなく、「部下の能力や成果などの価値を認める働きかけ」、つまり効果的なフィードバックの実践も不可欠な行為なのである。

図表4-6　人事評価では効果的なフィードバックの実践も不可欠

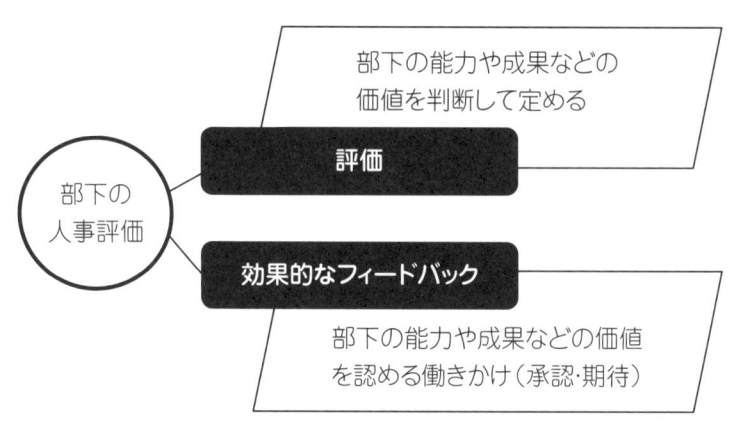

部下の人事評価
- 評価：部下の能力や成果などの価値を判断して定める
- 効果的なフィードバック：部下の能力や成果などの価値を認める働きかけ（承認・期待）

2. フィードバックとは

(1) マネジメント活動におけるフィードバックとは

　近年では、どの職場でもよく使われるようになった「フィードバック（feedback）」という用語であるが、ここでその意味を確認しておこう。

　マネジメント活動におけるフィードバックとは、マネジャーが部下に対して、行動や能力などの期待する水準と現状の差を確認して行う働きかけのことである。日常的に行われるべき行為であり、本来、人事評価のときだけになされるべきものではない。例えば、部下が期待した行動ができた場合には称賛し（正のフィードバック）、期待から逸脱した行動に対しては叱責したりする（負のフィードバック）ことを指す。人間は、褒められればその行動を強化しようとするし、叱られれば自分の行動の悪かった点を知って、改善しようとするものだ。フィードバックは、そうした行動の改善を促すためのものである。

　称賛のフィードバックは、部下に有能さを実感させ仕事への内発的動機づけを促進することになるので、もちろん重要なことである。しかし、部下の反省や行動の改善を促すためには、叱責のフィードバックも不可欠である。承認や期待を込めたフィードバックであれば、たとえその内容が叱責であっても、部下は伝えらたことに納得して受け入れるはずである。

　フィードバックの目的は、部下に今後の課題を自覚させることにある。フィードバックを通じて、部下は自分の行動や能力の現状を把握すると共に、その改善や強化の必要性を感じ、成長が促進されることになるのである。

(2) フィードバックの留意点

　フィードバックを効果的に行うためには、図表4-7に示す「事実」「具体化」「場」「感情」の4点に留意することが大切である。

　読者の皆さんは、日ごろ部下に対してどれだけフィードバックをしているだろうか？　また、この4点に則したフィードバックができているだろうか？　この機会に振り返ってみるとよいだろう。

図表4-7　フィードバックの留意点

	称賛	叱責
事実	部下の行動や発言などの具体的な事実についてのみフィードバックする。憶測や想像に基づいたフィードバックは、不信感を招くことがあるので避ける。	
具体化	何がよかったのか、何が悪かったのか、具体的にわかりやすくフィードバックする。 部下は自分の行動についてよかった点、悪かった点を知ることができ、今後もその行動を強化、あるいは改善しようとする。逆に、抽象的なフィードバックでは、そのような行動は期待できない。	
場	称賛のフィードバックは、原則として時間をおかずその場でする。	叱責のフィードバックは、人前を避けるなど、相手によって場面に配慮する。
感情	称賛のフィードバックは、心をこめて行う。	叱責のフィードバックは、感情的にならないように、客観的事実を示す。 場をあらためて冷静にフィードバックすることが大切である。

3. 人事評価における効果的なフィードバック

(1) 人事評価においても承認や期待を込めたフィードバックが必要

　マネジメント活動におけるフィードバックについて説明したが、人事評価におけるフィードバックも基本的には同じものである。
　一般に「評価のフィードバック」というと、「S・A・B・C・D」「優・良・可・不可」などの最終の評定結果を部下に告げることと考えがちだが、それだけでは、部下を仕事へと動機づけることはできない。部下のモチベーションは、自分の能力や成果などの価値を認められてこそ高まるものである。
　「なかなか厳しい状況だったけど、最後まであきらめずに努力していたね。それがあなたの持ち味だし、今回の目標達成の勝因だろう。この感じで次もがんばってほしい」
　「今期は目標を達成できなかったけど、○○が敗因とわかっているなら、まずそれを修正しよう。しかし、プロジェクトでの指導力はなかなか大したものだった。次の活動でも、その能力をぜひ発揮してもらいたい」
　人事評価においても、そんな承認や期待を込めたフィードバックがあってこそ、部下のモチベーションは上がるというものである。部下にとっては、評定結果と賃金だけが仕事の報酬のすべてではないのだ。

(2) 人事評価におけるフィードバックの意義

　過去にあなたが評価を通じて仕事へのモチベーションが高まったときのことを思い出してほしい。よい評定結果を受けて自分の力が

組織に認められたときには、きっとあなたの仕事へのモチベーションは上がったことだろう。しかし、それ以上に評定結果に添えられた上司からの承認や期待のこもったフィードバックの方がその後のあなたのモチベーションを上げたのではないだろうか。

単に「今期のあなたの評価はBでした」といったように評定結果を伝えるだけでは、それはフィードバックとはいえない。まず、どのような点が期待を上回っており、どのような点が期待に満たなかったのか、評価の根拠を具体的に示しながら本人に伝える。その上で、部下の活動の価値を承認して今後に向けての期待を示す。評価のフィードバックは、そのようなものでなければならない。

図表4-8　承認や期待を込めたフィードバックが必要

補足知識　フィードバックとアドバイスの違い

■ フィードバックとはアドバイスすることではない

　筆者は、研修講師として人事評価研修を実施することが多いのだが、評価結果にもとづくフィードバック面談のスキルを取り上げた演習を行うことがある。人事評価の機能が単なる査定というより、職務活動の振り返りであることを考えれば、評価結果にもとづいて当事者である上司と部下が今後に向けた話し合いをすることは、極めて重要である。

　しかし、実際にロールプレイなどでフィードバック面談の演習を行ってみると、ほとんどの受講者（評価者役）が的確にフィードバックを実施できないことがわかる。人と話すことが苦手とか、面談スキルが未熟ということではない。そもそもフィードバックの意味が理解されていないのだ。講師がロールプレイ演習で、「フィードバックをしてください」とお願いしても、大半の人は部下役の人にアドバイスをしてしまう。「アドバイスは後回しでもいいですから、フィードバックを確実にやってください」と再度、お願いするとようやく気づく受講者もいるが、多くの受講者は不審そうな顔をする。

■ まずフィードバックをしてからアドバイスする

　アドバイスとフィードバックは、どこが違うのであろうか。アドバイスには、「助言する」「忠告する」などの指導、教育的な意味があるのに対して、フィードバックにはそうした意味はない。情報を「反射する」とか「はね返す」という意味である。本質的には、上司が見てとった事実を部下に送り返すことなのである。

　「上司である私の目には今期のあなたの職務行動がこのように映

りましたよ」という情報の提示がフィードバックである。アドバイスは、そうした的確なフィードバックがなされた後で行う方が教育効果が高い。

　朝、顔を洗いネクタイを締めて鏡を見ると、鏡がフィードバックしてくれる。「ネクタイが左35度の角度で曲がっていますよ」という具合だ。鏡は決してアドバイスはしない。「ネクタイはまっすぐに締めないとだめだよ。第一、そのネクタイは今日のスーツには似合わないよ。むしろ赤のストライプの方が今日のお客さまにはよい印象を残すんじゃないかな」などとはいわないのである。

　自分のネクタイがまっすぐであると信じている人にいきなりアドバイスしても、相手はそのアドバイスを素直に受け止めることはできない。まずは、フィードバックによって、事実情報を共有することからはじめよう。的確なフィードバックを先にして、次にアドバイスをすれば気持ちのよい交流ができるはずである。

図表4-9　まずフィードバックをしてからアドバイスする

第3節 評価からフィードバックまでの進め方

1. 評価フィードバックの重要性と手順

(1) 評価フィードバックの意味合いは重要なものとなった

　人事評価の結果が処遇に反映されることが当たり前の今日、マネジャーが評価結果を部下に伝えることの意味合いは重要なものとなった。評価フィードバックの良し悪しが、人事評価に対する部下の納得性やその後のモチベーションに大きく影響するようになったからだ。

　したがって、単に評価結果の伝達をするためだけのフィードバックをしているようでは、不十分といわざるを得ない。部下の評価に対する納得度合いを高めると共に、次期の課題を明らかにし、仕事への動機づけを図っていく、今の時代にはそんなフィードバックが求められている。そのような評価フィードバックの実践が、人事評価を成功させる鍵となる。

(2) 評価からフィードバックまでの実施手順

　評価とそのフィードバックを効果的に行うためには、以下に示す手順で進めるとよいだろう。

①面談の事前準備

　まずマネジャーが評価する前に、部下本人に自己評価させることが大切だ。そして、面談を効果的なものにするための準備も怠ってはいけない。

②評価の事前面談の実施

評価の事前面談とは、マネジャーが評価を実施する前に、部下が自己評価の内容について説明し、話し合うものだ。事前面談の実施によって、マネジャーは部下の自己認識を援助するという立場になり、その後の評価フィードバックがスムーズに実行できるというメリットがある。

③フィードバック面談の実施

フィードバック面談とは、最終評価の結果をマネジャーが部下にフィードバックするための面談のことだ。結果を伝えるだけでなく、次期の活動に向けて今後の取り組み課題などについても話し合うためのものである。

人事評価においては、このような手順を踏むことが大切だ。次ページから、ここに示した3ステップについて、それぞれのポイントを確認しておこう。

図表4-10　評価からフィードバックまでの実施手順

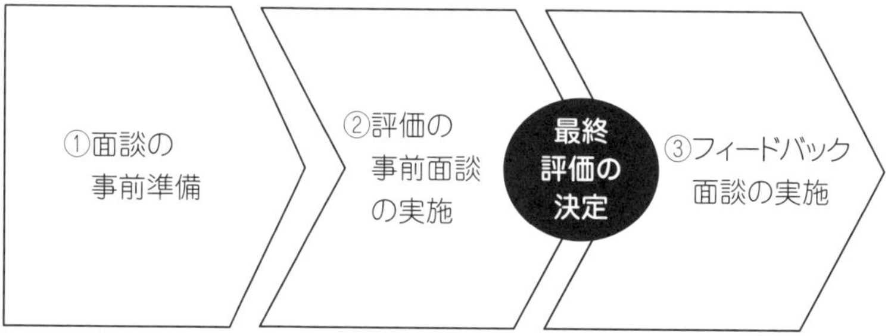

①面談の事前準備 → ②評価の事前面談の実施 → 最終評価の決定 → ③フィードバック面談の実施

2. 面談の事前準備

(1) 被評価者による自己評価を実施する

多くの組織では、マネジャーが評価をする前に部下に自己評価させることを制度化している。たとえ制度化していない場合であっても、人事評価ではまず部下に自己評価をさせることが大切である。自己評価をすることで、部下は自身の行動を振り返り、評価基準（職務基準、職能要件、目標達成基準など）に照らして客観的に自分を見つめ直すことができるからである。

部下が自己評価を終えたら、マネジャーは仮の評価を行い、部下の自己評価と自分の評価にギャップがある部分を確認する。そこには互いの事実認識に差があるわけなので、面談でその差を埋める必要がある。そのため、マネジャーとしては自分の判断の根拠を明確にして書き出しておくようにする。特に最高ランクの評価や最低ランクの評価については、その理由を論理的に整理しておく必要がある。また、部下のよい点、弱い点、今後の課題、能力開発の必要点もメモしておくようにしよう。

(2) 面談の事前準備も怠らない

部下との面談を効果的なものにするためには、事前準備をしておくことも必要だ。評価の事前面談のために準備すべきものは組織によって異なるが、通常は次のようなものである。

- 部下の自己評価済みの人事評価シート
- 目標記述シート、進捗管理（プロセス報告）シート
- 日常の観察記録
  その他、部下の成果物、自己申告書、OJT計画書など

これらは用意するだけでなく、もちろん内容をよく確認しておくべきである。不明確な点や自分が把握していなかった事実があれば、そのことについて部下に質問し、忘れないよう書き出しておくようにしよう。

　また、面談の事前準備としては、部下とのスケジュール調整や場所の確保も必要だ。面談の時間は、日ごろのコミュニケーションの頻度や職務内容によって変わってくるが、1人30〜60分くらいを目安としてスケジュール調整をするとよいだろう。

　また、面談の場所は、他人を気にせずにじっくりと話し合える会議室などを用意する。一般に、図表4-11のBのように真正面に向き合って座ると、相手に緊張感や圧迫感を与えやすいといわれている。したがって、Aのようなポジションで席を用意できると理想的である。これは相手との親近感をつくるのに適したポジションなのだ。

図表4-11　面談時のポジション

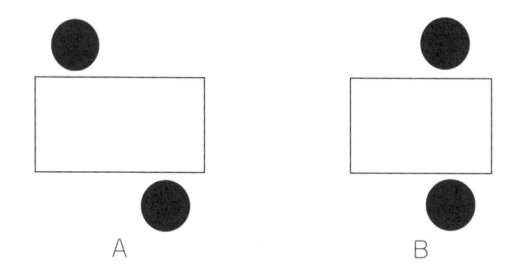

3. 評価の事前面談の実施

(1) 評価の事前面談で行うべきこと

評価の事前面談では、特に以下の3点を実施することが大切である。

①まず部下から説明させる

面談での主役はあくまでも部下である。したがって、まず部下本人から自己評価した内容について説明させるようにすることが大切となる。その上でマネジャーは、質問を駆使して部下が考える評価の根拠をさらに引き出していく。こうして、部下自身に十分に振り返りをさせることが重要なのである。

「面談は発言4割、聴く6割」が理想である。面談の場では上司はどうしても部下よりも話をしてしまいがちなので、「話を聴くことに徹して要所要所で質問をする」というスタンスで臨むとよいだろう。

②把握していない成果や能力を探す

マネジャーは期中の目標の進捗管理や報・連・相を通して、都度、部下の成果や行動に関する事実確認をしているはずである。しかし、自分の知らないところで部下が目標外の価値ある成果を創出していたり、高い能力を発揮していたりすることもあり得る。

評価の事前面談では、部下の期中の活動全体をあらためて振り返り、そういった事実がなかったかどうかを確認することも大事なことである。

③事実認識のギャップを埋める

　部下の自己評価と自分の評価にギャップがある場合には、そのギャップを埋めるために十分に話し合うようにする。感情的にならずに、事実に基づいて話し合うことが大切である。また、部下の不明確な説明や矛盾している発言については十分に確認を行い、推測を交えた解釈がないようにしよう。根拠となる事実を確認し合い、事実への認識をすり合わせていけば、ギャップは埋まっていくはずである。

　事実認識のギャップを埋めないままに、マネジャーの認識だけで一方的に評価をすると、部下の不信を生むことになる。期中のコミュニケーションによってそのギャップはある程度埋まっているはずではあるが、漏れがないようこの機会にあらためてすり合わせを行おう。

（2）部下を理解しようとする態度こそが重要

　実際には、評価の事前面談をやっても、あらかじめ想定していた部下の評価に変わりはないかもしれない。また、把握していなかった部下の成果や能力を新たに発見することもないかもしれない。それでも、評価の事前面談を実施することには大きな意味がある。

　評価の事前面談は、上司と部下との事実認識のギャップを埋めることはもちろん、部下のことを少しでも多く理解しようとするマネジャーとしての姿勢を示すことにもなる。それは、部下にとって歓迎すべきことに間違いない。自分のことを理解しようともしない上司からの評価と、自分のことを理解しようと努めてくれた上司からの評価とでは、その納得度合いは当然違ってくるものである。

4. フィードバック面談の実施

(1) フィードバック面談で行うべきこと

　評価の事前面談を終えた後には、マネジャーは部下の最終評価を決定し、評価結果を本人に通知することになる。いわゆる「評価結果のフィードバック」である。これはフィードバック面談によって以下の手順で進める。

①評価結果を伝える
　マネジャーは、評価期間中に観察・記録した事実に基づき、評価の着眼点を示しながら評価結果を部下に伝える。どのような点が期待を上回っており、どのような点が期待に満たなかったのか、評価の根拠を具体的に示しながら伝えることが大切である。
　ただし、評価結果のフィードバックは、マネジャーによる判断結果の伝達だけを目的とするものではない。日常行われるフィードバックの総まとめでもある。部下の活動プロセスにおいて、優れていた点や反省すべき点などを加えて伝えることも忘れてはいけない。
　最終の評価結果に影響しなかった事柄も含めて、「あのアイデアは非常によかったよ」などと褒めて活動を承認すること、あるいは「あのときはもっと積極的に動くべきだったはずだ」などと叱ることも必要である。評価の事前面談から得た情報も活用し、褒める・叱るといったフィードバックを積極的に行おう。
　また、マネジャー自身も、上司としての支援不足や判断ミスなどがあったと認識している点があれば、それについて反省していることを部下に伝えるべきである。そうした態度が、部下に謙虚な反省を促すことにもなるだろう。

②部下の課題を明らかにする

　マネジャーからのフィードバックをした後には、部下の意見をしっかりと聴くことも必要である。もちろん、これは言い訳を聴くということではない。よい点をどう伸ばすか、弱い点をどう克服するか、といった建設的な意見を引き出すように働きかけ、一緒に考えることが重要である。そうすることで、部下の今後の課題を明らかにすることができるだろう。

③今後の期待を伝える

　部下の今後の課題が明らかになったら、マネジャーは次期の活動へ向けて期待のメッセージを伝えるようにする。

　ここまでの一連の話し合いを効果的なものにできるかどうかで、次期の活動へのモチベーションには大きな差が生じることになるだろう。

（2）フィードバック面談は次の課題を一緒に考えていくための場

　フィードバック面談は、評価結果を部下と共有し、それをもとに次の課題を一緒に考えていくための場と考えるとよいだろう。つまり、今後の躍進に向けた話し合いを行う場であるわけである。

　どんな部下でも1対1の場面でしか話さないことはあるものなので、面談というあらたまった機会を設けることで初めて得られる情報は少なくない。したがって、日ごろから部下とコミュニケーションがとれているマネジャーであっても、フィードバック面談を実施して部下と十分に話し合うことは必要である。マネジャーはどんなに多忙であっても、フィードバック面談をおろそかにしてはいけないのだ。

補足知識　人事評価を通じて部下を成長させる

■□部下を成長させるには

「部下を成長させるには、どうしたらよいだろうか？」——マネジャーであれば、誰もが一度は悩んだことのあるテーマだろう。

「よい教育を与えよう」「個別指導を徹底しよう」「競争相手を意識させてみよう」……、皆さんもいろいろな策を考えて試したことがあるに違いない。

結局のところ、どのような策が有効なのかは職務の特性や部下の性格などの状況によって異なる。しかし、たいがいの状況に有効な策がひとつある。それは「経験の場」の提供だ。やりがいのある仕事の割り当て、権限の委譲、キャリア形成につながる配置転換など、部下に合った経験の場を提供することは多くの場合、部下の成長に寄与する策といえるだろう。

■□人事評価の後には経験の場を提供する

人事評価においても、マネジャーが意識的に「経験の場」を提供することが重要である。

人事評価では、マネジャーが評価フィードバックを通じて部下を仕事へと動機づけることが大切であることは説明したとおりである。部下を仕事へと動機づけることができれば、それだけでも部下の成長にはある程度、寄与することになるだろう。

しかし、より大切なのはその後だ。次期に、部下の適性に合った職務割当や、能力開発課題を設定することができれば、それは非常に効果的な経験の場の提供をすることになる。

「彼女は企画面で優れた成果を出した。だから、次期は企画関連

のプロジェクトを任せてみよう」

「彼は商談面でうまくいかないことがあった。次期は、あえて商談機会の多い顧客を担当させて、そこでの取り組みを能力開発課題に設定しよう」

このように人事評価を通じて得られた情報を活かしてステップアップするための経験の場を提供できれば、部下の成長に大きな貢献ができるだろう。

人事評価は期末にその期を振り返って行うものなので、「締めくくり」という印象をもつかもしれない。しかし、締めくくってそれでおしまいにしてはいけない。期の締めくくりを通じて得られた情報を、次の期に活かしてこそ進歩や成長があるというものである。

人事評価の後に部下にどのような経験の場を提供するか、それを考えることもマネジャーに求められる大事な役割である。この役割を毎期くり返すことができれば、部下は着実に成長していくだろう。

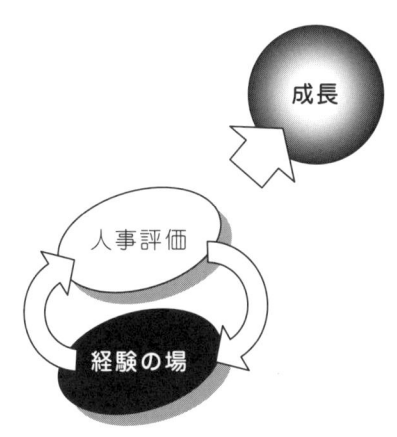

図表4-12　人事評価の後には経験の場を提供する

第4節 フィードバックをレベルアップする

1. フィードバックでは人柄や適性も視野に入れる

(1) 部下の人間的な価値もしっかり見いだしておく

　第2章において、マネジャーが行う人事評価では人物評価は厳禁であると説明した。人事評価は、あくまでも部下の日常の職務活動における行動や成果の事実にもとづいて実施すべきものである。人事評価シートをつける上では、マネジャーはこれを順守しなければならない。

　しかし、フィードバックの実施に際しては、必ずしもそうとは限らない部分がある。なぜならば、部下を動機づけるためには、部下の人柄や適性といった内面的な特性もある程度、把握しておく必要があるからである。つまり、フィードバックでは人事評価を通して得られた情報だけでなく、部下の人物評価も視野に入れることになる。

　「どんなことに対しても、自分から行動するところが君のよいところだ」

　「あなたは落ち着いた性格で淡々と仕事をこなしてくれるので、安心して仕事を任せられるよ」

　といった具合に、人柄や適性についてもフィードバックをした方が部下を動機づけることになるだろう。

　フィードバックをより効果的なものにしようとするならば、部下の能力や成果を評価するという行為にとどまらず、部下の人柄や適

性までも視野に入れた評価が必要となる。そのため、マネジャーには、部下の人間的な価値もしっかり見いだしておくことが求められるのだ。

(2) フィードバックのための人物評価に客観的な尺度はない

ただし、部下の人柄や適性までも視野に入れた評価とは、公正な人事評価をするためのものでも、ランクを決定するためのものでもない。部下の価値を認め、動機づけるために行うものである。したがって、そこに客観的な尺度はないし、厳密なものである必要はない。多くの人々が素晴らしいと評価する有名な絵画であっても、その価値を測る尺度が存在しないのと同様である。

例えば、リーダーとしての適性があると評価できる部下がいたとすれば、その適性の価値を認め、本人にしっかりフィードバックすることが大切である。要は、フランクなフィードバックを行うことで部下の仕事へのモチベーションを高められればよいのだ。

しかし、ここでひとつ留意しなければならないことがある。それは、人間性に関してのネガティブな評価は避けるということである。部下の人格を否定することになりかねないので、その点については慎重に臨まなければならない。

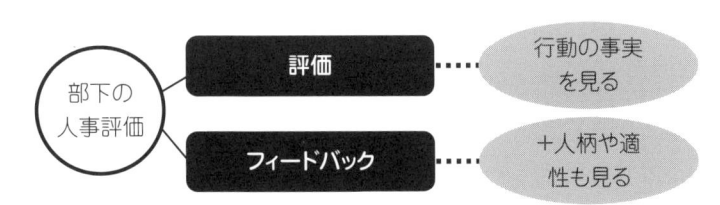

図表4-13　フィードバックでは人物評価も視野に入れる

```
                    ┌──────────┐      行動の事実
                    │   評価   │ ···· を見る
   部下の       ┌──┤          │
   人事評価 ───┤    └──────────┘
               └──┤ フィードバック │ ···· ＋人柄や適
                    └──────────┘      性も見る
```

2. 部下の人間的な価値を見いだす

(1) 部下の長所を見いだすには

　フィードバックをより効果的なものにするためには、部下の人間的な価値、つまり長所をいかに見いだすかが最大のポイントとなる。しかし、人の短所というものは目に付きやすいものだが、長所は意外と見つけにくい。そこで、ここでは部下の長所を把握するためのひとつの方法を紹介しよう。

①部下の短所をチェックする
　まずは職場の部下を一人思い浮かべ、P.166～167の図表4-14のリストを使って、その部下の短所と思われる項目をチェックしてみよう。
　ここで多くのチェックがついた項目が、その部下の性格特性ということになる。例えば、「主導性の高い人」に多くのチェックがついたら、その部下はよくも悪くも「主導性が高い」と判断できる。

②短所をヒントに長所を見いだす
　次にP.168～169の図表4-15のリストを見てみよう。図表4-14のリストの項目が「性格特性が悪い意味であらわれる場合」を表現していたのに対して、こちらの項目は「性格特性がよい意味であらわれる場合」を表現している。
　このリストからは、部下の長所を見いだすためのヒントを読み取ることができる。例えば、図表4-14で「主導性が高い人」という項目に多くのチェックがついた部下は、「集団の中でリーダーシップを発揮できる」「物事に対して積極的であり、建設的な提案をする」

「世話好きであり、こまめに人の面倒をみる」といった優れた面をもつ可能性が高い。また、「主導性が低い」という項目に多くのチェックがついていたならば、その部下はリーダーシップを発揮するのは苦手かもしれないが、「常に相手を立て、相手の意をくんだ行動ができる」「協調の精神に富み、集団の和を乱さない」といった良さをもっている可能性が高いと判断できる。

人の性格の長所と短所は表裏一体であり、ポジティブな形で現れる場合とネガティブな形で現れる場合とがある。このように、ポジティブな形で現れる特性の方に着目すれば、部下の価値を見いだすことができるだろう。

(2) 部下の強みに着目する

経営学者・思想家として高名なP・Fドラッカーも、著書の中で以下のように述べている。

> 部下の弱みに焦点を合わせることは、間違っているばかりか無責任である。上司たる者は、組織に対して部下一人ひとりの強みを可能な限り生かす責任がある。部下に対して彼らの強みを最大限に生かす責任がある。＊

しかし、現実はどうだろう。多くのマネジャーが部下の弱みに着目し、その弱みを直すことに力点を置いたマネジメントをしているのではないだろうか。時にはそれも必要なことだが、本来的にマネジャーが注力すべきことはドラッカーのいうとおり「人の強みを生かす」ことである。それが、部下の価値を見いだすことにつながるのである。日ごろからそれを意識していれば、より効果的なフィードバックができるようになるだろう。

＊P.F.ドラッカー著／上田惇生訳『経営者の条件 新訳』ダイヤモンド社（2006）より引用

図表4-14　部下の短所をチェックする

性格特性		チェック項目 （性格特性が悪い意味であらわれる場合）
主導性	高い人	□わがままであり、時として独善的になる □お節介で、自分のやり方を人に押しつける □自分の思い通りにならないと相手を責めることがある
	低い人	□自分の主張を持てず、人の意見に振り回されやすい □自分がリーダー役をとるべき場面でも腰をひいてしまう □引っ込み思案であり、自分から人にかかわろうとしない
活動性	高い人	□出たがり、目立ちたがりの面があり、慎重さを欠く □計画性が弱く、思いつきで行動してしまう □落ち着きがなく、ひとつの事に腰を据えて取り組めない
	低い人	□物事に消極的で出足が遅い □慎重な余り、問題の解決に一歩踏み出すことをしない □反応は鈍く、何を考えているのか分からない面がある
独自性	高い人	□何事にも批判が先に立ち、建設的な提案が少ない □我が強く、チームワークを乱すことがある □他人に厳しい割には自分に甘いところがある
	低い人	□自分を主張せず、安易に妥協してしまうことが多い □態度があいまいで、優柔不断という印象を与える □無理と分かっていても頼まれれば嫌とはいえず、自分に過剰な負荷をかけやすい
社交性	高い人	□調子よく、軽薄な感じを人に与える □八方美人で、他人に合わせることはうまいが、主体性に欠ける面がある
	低い人	□人と積極的に交わらないので、なかなか理解されにくい □陰気な印象を与え、集団の中で弧立しやすい □人見知りが強く、初対面ではなかなか打ち解けられない
楽観性	高い人	□大ざっぱなところがあり、仕事にモレが出てくる □のんきなために、事態の重大さに気づくのが遅れる □失敗しても平気でいられる無神経さがある

楽観性	低い人	□神経が細かく、気苦労が多いために疲れやすい □人の目を気にするために、思い切りのよい行動ができない □ちょっとのミスでもクヨクヨし、行動が前に進まなくなる
安定性	高い人	□他人の感情に鈍感なところがある □状況の変化にうとく、周囲の人が困っていてもわれ関せずのところがある □話をしていても、反応に面白みを感じさせない
	低い人	□感情の起伏が激しく、意見がころころ変わることがある □状況の変化に過剰に反応しやすく、冷静な判断ができない □時間の切迫や人間関係のトラブルにストレスを感じやすい
計画性	高い人	□融通がきかない面があり、多くの仕事を一度にこなせない □憶病で、大胆な決断ができなくなる恐れがある □緊急を要する事態での判断力に弱さがある
	低い人	□見通しを立てずに仕事を始めるので、途中で混乱しやすい □行き当たりばったりの行動が多く、結局は無駄が多くなる □仕事の効率が悪く、最後になっていつもあわてる
柔軟性	高い人	□自分自身の意見や立場が不鮮明で、無節操と見られやすい □状況によっては人との約束を結果的にホゴにしてしまう □一つのことを執念を持って追い続けることができない
	低い人	□頑固で妥協を嫌うために、集団の中で浮いてしまう □状況の変化に対応した合理的な判断ができにくい □複数の仕事を同時にこなすことが苦手で融通がきかない
緻密性	高い人	□一つの事にこだわるとほかの事に注意がいかない □自分のペースに固執し、状況の変化に対応できない □しつこい面があるので、人に嫌がられることがある
	低い人	□ものごとのとらえ方が大ざっぱで、細心さに欠ける □落ち着きがなく、動きに無駄が多い □判断に慎重さを欠き、不注意によるミスが多い

（〔UENO-1R〕の尺度構成を引用）

図表4-15　短所をヒントに長所を見いだす

性格特性		性格特性がよい意味であらわれる場合
主導性：集団の中でリーダーシップを発揮できる	高い人	□集団の中でリーダーシップを発揮できる □物事に対して積極的であり、建設的な提案をする □世話好きであり、こまめに人の面倒をみる
	低い人	□常に相手を立て、相手の意をくんだ行動ができる □協調の精神に富み、集団の和を乱さない □謙虚であり、我を張ることがない
活動性：自分から行動しようとする	高い人	□はきはき、きびきびしており、フットワークがよい □好奇心が旺盛であり、何事にも積極的に取り組む □人から言われずとも、自分から行動を起こす
	低い人	□目的を理解してから行動するので安心して見ていられる □口数は少ないが、周囲の状況がよく見えている □行動は控え目であるが無駄な動きをせず、要所を押さえる
独自性：はっきりとした自分の考えを持っている	高い人	□自分の意見をはっきりと持っており、安易な妥協をしない □自分が思っている事、感じている事をはっきりと言える □権威を恐れることがない
	低い人	□気持ちが優しく、他人の意見を十分に尊重する □人の事をとやかく言わず、黙々と自分の役割を果たす □自分を二の次にして人のために尽くすところがある
社交性：誰とでも付き合うことができる	高い人	□人づきあいがよく、誰とでもすぐに打ち解ける □陽気で開けっ広げであり、交際範囲が広い □他人にこまやかな配慮ができる
	低い人	□いったん親密になると、深いつきあいができる □自分なりのものの考え方がはっきりしている □シンが強く、責任感がある
楽観性：おおらかで明るい	高い人	□おおらかであり、物事にこだわらない □困難な状況にあっても深刻な気分に陥らずにすむ □物事の自然な流れに身をまかせ、焦ることがない
	低い人	□繊細であり、細部にも目が行き届く □人の感情には敏感なので、周囲にこまやかな配慮ができる □仕事がていねいなので、安心して任せることができる

項目		内容
安定性: 情緒的に安定している	高い人	□感情の起伏が少なく、常に落ち着いている □自分のペースを乱すことなく、淡々と仕事をこなす □困難に直面しても、周囲に動揺を感じさせない
	低い人	□喜怒哀楽がはっきりしており、情緒的には豊かである □状況の変化に敏感であり、すぐに反応できる □思っていること、感じていることが人に理解されやすい
計画性: 目的を実現するためにきちんと計画を立てる	高い人	□行動に移す前にじっくりと考え、軽はずみな事をしない □用意周到であり、不測の事態による混乱を最小限に止める □仕事の進み具合を依頼者の方でも確認しやすく、安心できる
	低い人	□融通がきき、行動は柔軟である □おおらかで神経が太く、少しの事では動揺しない □ものごとの「ツボ所」「勘所」を押さえるのがうまい
柔軟性: 実行に当たって柔軟にものごとに対処できる	高い人	□状況の変化に敏感であり、また臨機応変な対処ができる □過去のことにこだわらないので常に新鮮な目で判断できる □物事を楽観的・肯定的に受け止め、ストレスをためない
	低い人	□自分の信念が明確であり、それを貫き通す強さがある □自分の問題意識を大事にし、状況の変化に惑わされない □多少の困難にはへこたれず、所期の目的追求をあきらめない
緻密性: 細心の注意を払いつつ粘り強く仕事に取り組める	高い人	□いったん取り組んだことは最後までやり遂げようとする □仕事に対しては職人的な一徹さを持ち、安易な妥協を嫌う □ルールをきちんと守ろうとする
	低い人	□素早く、かつ迷わずに決断することができる □直感的にものごとのポイントをつかむことができる □頭の回転が速く、フットワークがよい

([UENO−1R]の尺度構成を引用)

補足知識　ジョハリの窓とフィードバック

■□ フィードバックは「自分自身を知る」機会となる

　人は他者の長所・短所については気づきやすいが、自分の長所・短所というものは意外とわかっていない。自分自身を客観的に見つめるということは、実はとても難しいことなのである。特に日本人の場合、今でも謙虚さや控えめを良しとする文化が残っているせいか、自尊感情が低く「自分には長所がない」と思い込んでいる人も少なくないようである。しかし、本心からそのように思っていたならば、その人は自分に自信がもてず、仕事へのモチベーションも高まりにくい状態になってしまっていることだろう。

　そこでフィードバックが重要な役割を果たすことになる。自分の長所を自覚できれば、それを伸ばすにはどうしたらよいかを考えることができるようになる。マネジャーが部下の人柄や適性を積極的に評価し、自信をもたせるようなフィードバックを行えば、その部下は自分への気づきを得て、自分の可能性をもっと広げることができるだろう。上司からのフィードバックは、部下にとって「自分自身を知る」という機会にもなるのである。

■□「開かれた窓」を広げることが大切

　皆さんは、図表4-16に示した「ジョハリの窓」をご存じだろうか？　心理学の書籍や研修の場を通して学んだことがある方も多いだろう。ジョハリの窓では、「開かれた窓」を広げることが重要とされている。そのためには、本人が自己開示を進めて「隠された窓」を小さくしていくと共に、周囲がフィードバックを与えることで「見えざる窓」を小さくしていくことが必要である。

マネジャーには当然、部下の「見えざる窓」を小さくしてあげるようなフィードバックが求められる。そうしたフィードバックの実践が、結果的に部下の人間的な成長に寄与することにもなるのだ。

また、マネジャー自身も、自分の「開かれた窓」を広げるよう努力しなければならない。部下に対して自己開示を進めると共に、部下からのフィードバックを受け止める謙虚な態度が大切である。上司と部下がお互いに「開かれた窓」を広げていけば、その関係をより深いものにできるはずである。

図表4-16　ジョハリの窓

	自分が知っている	自分が知らない
相手が知っている	開かれた窓 自分も相手も知っている自己	見えざる窓 自分にはわからないが、相手は知っている自己
相手が知らない	隠された窓 自分は知っていても、相手は知らない自己	暗黒の窓 自分も相手も知らない自己

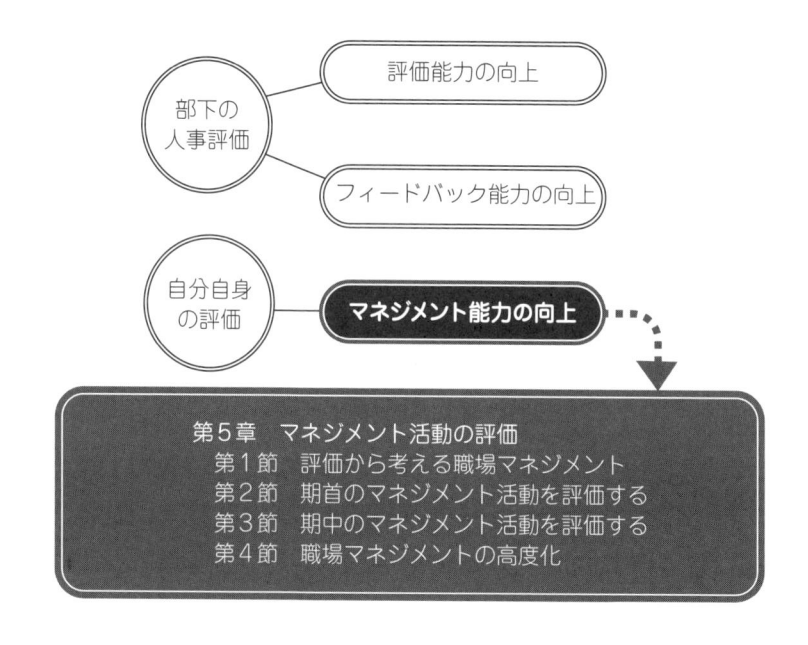

第5章
マネジメント活動の評価

- 部下の人事評価
  - 評価能力の向上
  - フィードバック能力の向上
- 自分自身の評価
  - **マネジメント能力の向上**

第5章　マネジメント活動の評価
　第1節　評価から考える職場マネジメント
　第2節　期首のマネジメント活動を評価する
　第3節　期中のマネジメント活動を評価する
　第4節　職場マネジメントの高度化

◆第5章の概要◆

部下は仕事のプロ。だから、結果がすべて？

〔例題〕

あなたは、以下のマネジャーのコメントを聞いてどう思うだろうか？

「私が任されている経理課は、そこそこのベテランばかり。だから、期首に部下の仕事の割り当てさえ決めてしまえば、マネジメントなんて不要です。仕事を進める中で、何か問題があったとしても、それは各自の責任で対処すればいいことです。仕事を割り当てた時点で、権限は委譲したのですから。

人事評価も楽なものです。各自が目標を達成できたかどうか、期末の結果さえ見れば評定できますから。皆、仕事のプロなのだから、結果がすべてですよ。プロ野球選手の評価と同じです」

> 結果は出てるね。
> それじゃ、
> 君の評価は「B」だ。

> 期中には、ほとんど
> 話さなかったけど…。
> 評価はするんだね。

第5章：マネジメント活動の評価

　スポーツにおけるマネジメントからの教訓は、ビジネスの世界にも通じる部分が多いものである。そのためか、「プロは結果がすべて。だから、私たちも結果で評価すべき」といった考え方は、ビジネスの世界でもよく耳にする。これが正しいか否かは、その組織の人事ポリシーによることなので一概にはいえない。ただし、「結果がすべて。だから放任する」というマネジャーの短絡的な考え方は明らかに間違いだし、こういうものをマネジメントとはいわない。

　これはスポーツの世界でも同様である。何の作戦も示さない、何の支援もしない、そんな監督やコーチはマネジメントという職責を果たしているとはいえない。そもそも期中にほとんど業務に干渉しなかった上司が期末に結果だけを見て評価しても、その評価に説得力はない。それならば第三者が評価すればいいし、マネジャーは不要である。人事評価は、マネジャーが行う一連のマネジメント活動の一環であり、決まった時期にだけ行う人事手続きではない。日常の優れたマネジメントなくして優れた人事評価はあり得ないのだ。

　以上の点を踏まえ、第5章では図表5-1に示す流れで、皆さんがマネジメント活動をしっかりできているかどうかを評価してみることにしよう。

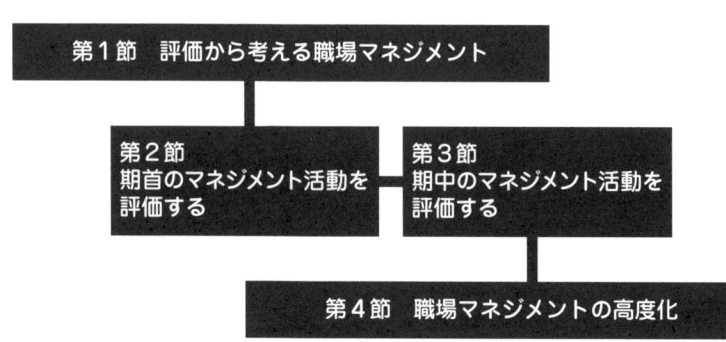

図表5-1　第5章「マネジメント活動の評価」の構成

```
┌─────────────────────────────────────┐
│  第1節　評価から考える職場マネジメント  │
└─────────────────────────────────────┘
        │
   ┌────┴────────────────┐
   ▼                     ▼
┌──────────────┐   ┌──────────────┐
│ 第2節         │   │ 第3節         │
│ 期首のマネジメ │   │ 期中のマネジメ │
│ ント活動を    │   │ ント活動を    │
│ 評価する     │   │ 評価する     │
└──────────────┘   └──────────────┘
          │             │
          └──────┬──────┘
                 ▼
        ┌──────────────────────────┐
        │ 第4節　職場マネジメントの高度化 │
        └──────────────────────────┘
```

第1節 評価から考える職場マネジメント

1．職場マネジメントあっての人事評価

（1）マネジメントが欠落した人事評価は部下の不信を生む

　1990年代から普及した成果主義は、一部の組織では形式面が先行して導入されていった。そして、そのような導入のされ方は、マネジャーのマネジメントという本来職務への役割意識を希薄にした節（ふし）がある。そのような組織では、
　「成果を評価するのだから、期末に結果だけ見て評価すればいい」
　「成果主義なのだから、各自が自己責任で仕事を進めればいい。部下の活動プロセスには関与しない」
といった具合に、目標の割り付けと結果確認による評価だけが行われ、部下の職務遂行支援や能力開発支援がおろそかになっているケースが見受けられる。「目標による管理」を中心に展開されるはずのマネジメントが、「目標による評価」となってしまい、肝心のマネジメントが欠落してしまっているのだ。
　しかし、このようにマネジメントが機能していない状態で実施される人事評価は、部下にとってもマネジャーにとっても決してよいものにはならない。お互いに活動を振り返ってみたところで、そこに大きな気づきや深い反省は生じない。次期に取り組むべき課題を話し合ってみたところで、それはおざなりなものになってしまう。それどころか、「あなたに私の何がわかるの？」「評価のときだけ上司を演じるのか？」といった部下の不信を生むことにもなりかねない。

(2) 優れたマネジメントなくして優れた人事評価はあり得ない

　そもそも、部下の評価をすることがマネジャーの中心業務ではない。職場の成果を上げるために、マネジメントを全うすることこそが肝心な役割である。その役割を果たさずして期末に評価だけを行っているようでは、部下からの信頼を失っても仕方がないだろう。マネジャーが本来行うべきマネジメント業務をしっかり行うことが、結果的に部下の評価への納得性を高めることにもつながるのだ。

　人事評価とは、マネジャーが行う日常のマネジメント活動の一部なのであり、単なるルーチン業務ではない。いくら期末に悩みに悩んで部下の人事評価をしたところで、それまでに十分なマネジメント活動をしていなければ、よい人事評価はできない。優れたマネジメントなくして、優れた人事評価はあり得ないのだ。

図表5-2　優れたマネジメントなくして優れた人事評価はあり得ない

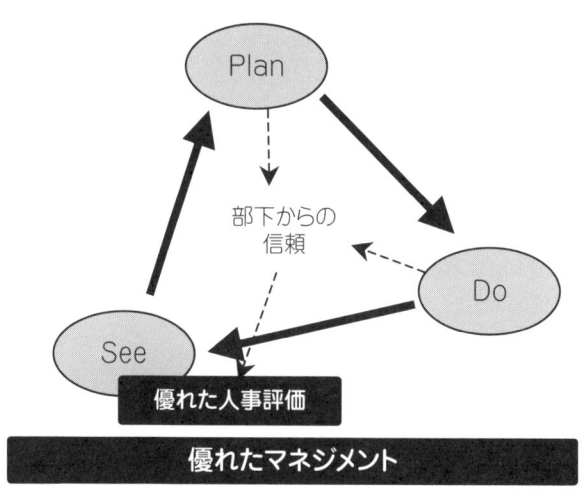

2. 評価すべきマネジメント活動

(1) マネジメント活動をより良いものにするためには

　皆さんは、日ごろからマネジメント活動にしっかり取り組んでいるだろうか？　そして、そのマネジメント活動は十分に機能しているだろうか？

　皆さんは部下の評価を行う立場ではあるが、一度、自分自身のマネジャーとしての活動も評価してみるとよいだろう。

　評価といっても、ランクづけをしろといっているのではない。自分のマネジメント活動を振り返り、「何ができているか、できていないか」「合格といえるか、不合格なのか」を判断してみてほしい。そうすることで、「自分ができていること、できていないこと」が明らかになり、マネジメント活動をより良いものにすることができるはずだ。

(2) 評価すべきマネジメント活動のポイント

　職場マネジメント活動のポイントをマネジメント・プロセスであるPlan-Do-Seeの流れに沿ってピックアップしていくと、図表5-3のように示すことができる。ここにあげた期首と期末の項目ができているかどうかを評価すれば、自分のウイークポイントを知ることができるだろう。

　「職場ミッションの共有」から始まる期首のマネジメント活動については第2節に、期中のマネジメント活動については第3節に、ポイントごとに評価項目を用意しているので参考にしてほしい。

第5章：マネジメント活動の評価

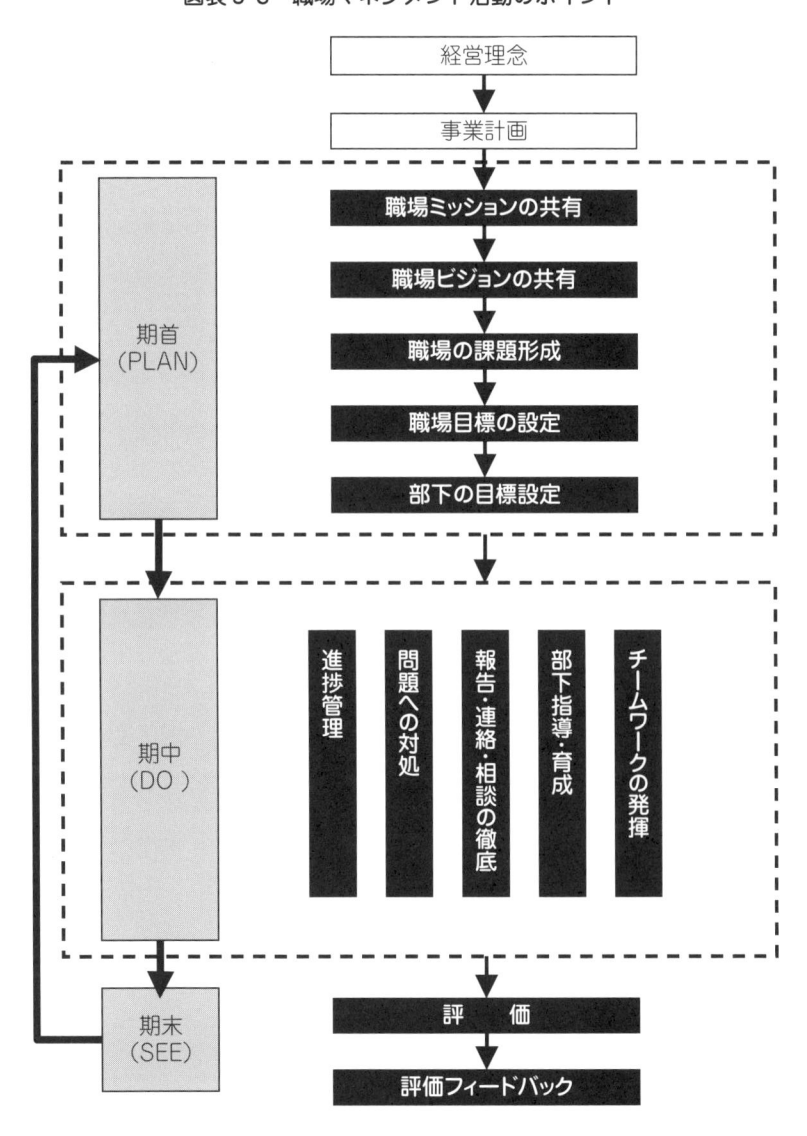

図表5-3　職場マネジメント活動のポイント

```
                    経営理念
                       ↓
                    事業計画
                       ↓
┌──────────────────────────────────────────┐
│           │    職場ミッションの共有          │
│           │         ↓                      │
│   期首    │    職場ビジョンの共有           │
│  (PLAN)  │         ↓                      │
│           │    職場の課題形成               │
│           │         ↓                      │
│           │    職場目標の設定               │
│           │         ↓                      │
│           │    部下の目標設定               │
└──────────────────────────────────────────┘
                       ↓
┌──────────────────────────────────────────┐
│           │  進  問  報  部  チ            │
│           │  捗  題  告  下  ー            │
│   期中    │  管  へ  ・  指  ム            │
│  (DO)    │  理  の  連  導  ワ            │
│           │      対  絡  ・  ー            │
│           │      処  ・  育  ク            │
│           │          相  成  の            │
│           │          談      発            │
│           │          の      揮            │
│           │          徹                    │
│           │          底                    │
└──────────────────────────────────────────┘
                       ↓
     期末          評　　価
    (SEE)            ↓
                評価フィードバック
```

3. マネジメント活動を評価するための視点

(1)「成功の循環」という考え方

　職場マネジメント活動の評価をする前に、皆さんにひとつ覚えていただきたい考え方がある。それはマサチューセッツ工科大学のダニエル・キム教授が提唱した「成功の循環」モデルである。私たちがマネジメント活動を評価する上で有効な視点を提供してくれるものなので、ここで紹介しておこう。

　「成功の循環」モデルとは図表5-4に示すもので、「結果の質」はどのような影響によって左右されるのかを説明したものである。これによると、「結果の質」は「行動の質」に、そして「行動の質」は「思考の質」に、「思考の質」は「関係の質」に、さらに「関係の質」は「結果の質」に左右されることになる。つまり、関係の質がよければ思考の質がよくなり、行動の質、結果の質もよくなっていくことになる。

　たしかに、関係の質がよい職場ではコミュニケーションが活発で、協力して思考を働かせたり議論する機会も多く、それが刺激となって部下の行動もよい方向に変化していく。そのため、質の高い結果が生まれるものである。

(2)「成功の循環」の視点で評価してみよう

　一般にマネジャーは、「課題ができた、できていない」「数字がいった、いっていない」といった結果を部下に問う傾向がある。これは、仕事の進捗管理を行うために必要な行為である。しかし、このように結果確認をしているだけでは、質の高い結果を期待することはできない。また、部下の行動の質を高めようとあれこれ指導し

ても、質の高い結果を生み出させることは容易ではないだろう。

　質の高い結果を望むならば、結果の質そのものを問うてもだめだし、行動の質を変えるような働きかけをしても限界がある。まずは部下との関係の質を高めることが第一である。それから、思考の質の向上→行動の質の向上、という循環を起こすような働きかけを行うことが得策となる。

　次節以降で自分のマネジメント活動を評価する際には、「できていた、できていなかった」ということだけでなく、各活動のポイントごとに、

「『関係の質』を高める働きかけができていたか？」

「『思考の質』を高める働きかけができていたか？」

「『行動の質』を高める働きかけができていたか？」

ということも併せて自問してみるとよいだろう。

　「成功の循環」の視点から職場マネジメント活動を評価することで、今後の自分の課題をより深く考えていただきたい。

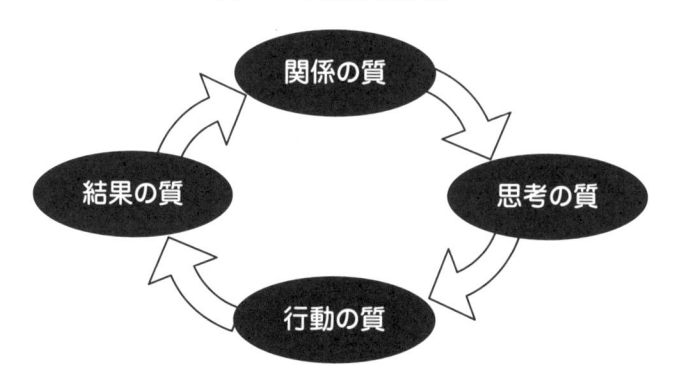

図表5-4　成功の循環モデル

（出典：高間邦男著『学習する組織』光文社(2005)より引用）

補足知識　目標管理とマネジメント

■□目標管理は評価制度ではない

　成果主義人事の下では、多くの場合「目標管理」がその中核として機能している。そのためか、「目標管理イコール評価制度」と誤解されていることが少なくない。

　目標管理は、「目標による管理」を省略した言い方であり、もともとは米国生まれのマネジメントの考え方であるMBO（Management By Objectives and Self-control）のことだ。すなわち、目標によって仕事を管理する（Management By Objectives）ことと、主体性をもって自己を管理する（Management By Self-control）という2つの目的をもつものなのである。したがって、一種のマネジメントコンセプトというとらえ方の方が本質を突いた理解である。

■□目標管理とは効果的なマネジメントの実践を目指すもの

　目標管理の提唱者であるドラッカーは、目標設定による経営の意義として次の2点をあげている。

> ① 組織構成員の寄与や貢献を一つの共通な方向に向かわせること（機能面）
> ② 組織や上司から支配されるのでなく「自己統制」を可能にすること（動機づけ面）

　前者①が言わんとしているのは、単に個人的な思いつきを目標とするのでなく、チームや組織全体の成果から各人の重要成果たる目標が導かれねばならないという意味である。つまり、個人目標は、全社事業計画や部門目標からブレークダウンされた目標と連鎖され

たものでなければならない。

　後者②は、目標設定とその遂行活動に組織構成員が主体的に参画することの重要性を説いたものである。主体的な目標設定を通じた経営への参画は自己管理を可能にし、より強い動機づけをもたらすことになる。

　このように、目標管理とは、本来、目標をキーにしてより効果的なマネジメントの実践を目指すものである。現代の組織においてマネジメントを最もうまく行うための方法論であり、最もスタンダードとなっているものといってよいだろう。

　マネジャーの皆さんはそのことをよく理解した上で、目標管理を自らの武器として効果的に職場マネジメントに活かしていただきたい。

図表5-5　目標設定による経営の意義

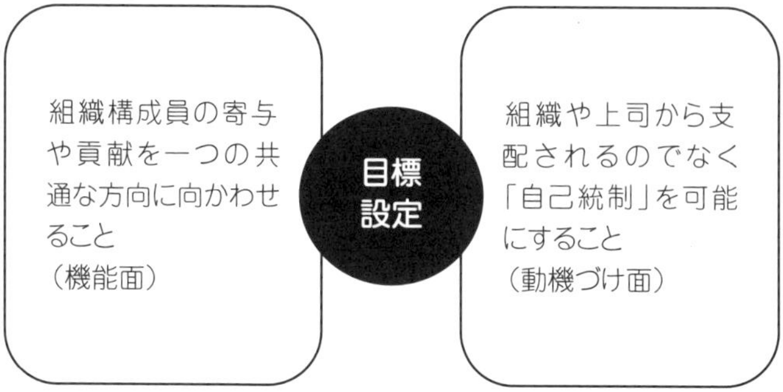

- 組織構成員の寄与や貢献を一つの共通な方向に向かわせること（機能面）
- **目標設定**
- 組織や上司から支配されるのでなく「自己統制」を可能にすること（動機づけ面）

第2節 期首のマネジメント活動を評価する

1．期首にマネジャーがすべきこと

（1）マネジャーがまず問うべきこと

　経済が右肩上がりの時代には、マネジャーは上位からブレークダウンされた目標を部下に割り振っただけでも、部下は積極的に仕事に取り組んでくれたことだろう。しかし、経営環境が大きく変化し、部下の個性や価値観が多様化した現代にあっては、なかなかそうはいかない。「目標は勝手に決められたもの」「仕事は与えられたもの」という意識を部下がもっているようでは、仕事への意欲的な活動を期待することはできない。ひいては職場の成果も上がらないことになる。経営学者・思想家として著名であったドラッカーも、著書*で以下のように述べている。

> 　組織で働く者は、優れた仕事を行うために、自らの組織の使命が社会において重要な使命であり、他のあらゆるものの基盤であるとの信念を持たなければならない。この信念がなければ、いかなる組織といえども、自信と誇りを失い、成果を上げる能力を失う。
> 　知識労働の生産性の向上を図る場合にまず問うべきは、「何が目的か、何を実現しようとしているか、なぜそれを行うか」である。手っ取り早く、しかも、恐らく最も効果的に知識労働の生産性を向上させる方法は、仕事を定義し直すことである。

* P.F.ドラッカー著／上田惇生編訳『プロフェッショナルの条件』ダイヤモンド社（2002）より引用

現代のマネジャーには、目標設定や職務割当以前に、自分たちの職場の「目的は何か」(職場ミッション)、自分たちの職場は「何を実現しようとしているか」(職場ビジョン)、そして「なぜそれを行うか」ということを明確にし、職場全体で理解・共有することが求められているのである。

(2) 期首のマネジメント活動の評価ポイント

以上の点を踏まえると、期首のマネジメント活動では、職場のミッションやビジョン、そしてそこから導かれた課題や目標を部下と共有し、合意を形成することが重要となることがわかる。それができていれば、部下一人ひとりの仕事へのモチベーションが高まることはもちろん、職場の総力も結集され、高い成果を達成できることになるはずである。

したがって、期首のマネジメント活動を評価するためには、図表5-6に示す5つをポイントとするとよいだろう。では、これら一つひとつを取り上げて、自分のマネジメント活動を評価してみよう。

図表5-6　期首のマネジメント活動のポイント

□ 職場ミッションを共有していたか？
□ 職場ビジョンを共有していたか？
□ 職場の課題形成は正しくできていたか？
□ 職場目標の設定は正しくできていたか？
□ 部下の目標設定をリードできていたか？

2. 職場ミッションを共有していたか？

> **評価項目**
> ☐ 職場ミッションを問い直したか？
> ☐ 職場ミッションを部下と共有したか？
> ☐ 職場ミッションは部下に自信と誇りを与えるものだったか？

（1）職場ミッションを問い直したか？

　期首のマネジメント活動において最も大事なことは、「私たちは何のためにこの仕事をするのか？」「この職場は何のために存在するのか？」と、まずマネジャー自身が「職場ミッション」を問い直してみることだ。

　職場ミッションとは、職場が果たすべき使命や存在意義であり、職場の共通の目的となるものだ。「職場には期ごとに『目標』が設定されるのだから、それで十分ではないか」と考える人もいるかもしれない。しかし、目標だけを示されても、大半の部下は何のために職場がその目標を目指しているのか、なぜ職場で協力してその仕事に取り組む必要があるのか、その意味までは深く考えようとはしないものである。そこで、職場の長たるマネジャーが職場ミッションを問い直し、明確にしておく必要がある。

　多くのマネジャーの皆さんは、漠然としながらも頭の中に職場ミッションを描いているだろう。環境の変化が激しい現代にあっては、それを毎期、問い直し、意識することが重要となる。あなたは、期首に職場ミッションを問い直しただろうか？

(2) 職場ミッションを部下と共有したか？

　いくら立派な職場ミッションがあったとしても、マネジャーひとりがそれにこだわっているだけでは仕方がない。職場ミッションは職場内で共有して、初めて意味をもつことになる。紙に書き出し、部下にしっかりと伝えるべきである。そして、部下がどのように受け止めたのか、積極的に部下の意見を吸い上げ、十分な話し合いを通して、コンセンサスを図ることが重要だ。職場ミッションは、職場全体で共有し、部下が思い入れをもってこそ活きてくるものである。あなたは、自分たちの職場ミッションを部下と共有しただろうか？

　また、期中においても、職場ミッションについて部下と語り合うことも忘れてはならない。自分たちは何にこだわって仕事をしているのかを絶えず語り合うことで、部下はより質の高い仕事を目指すようになるはずである。

図表5-7　職場ミッションを部下と共有したか？

(3) 職場ミッションは部下に自信と誇りを与えるものだったか？

　職場は内外のさまざまな人や組織との関係の中に存在するものである。したがって、必ず貢献すべき対象（顧客）があり、その期待に応える必要がある。

　職場ミッションも貢献対象の期待に応え、そのニーズを満たすようなものでなければならない。そのような職場ミッションがあれば、部下は自分たちの仕事に自信と誇りをもつことができるはずだ。ただし、その前提としてマネジャーであるあなた自身が高い志をもって、そのミッションを実現したいと思っていることも不可欠であることを付け加えておこう。

　さて、あなたは部下に自信と誇りを与えるような職場ミッションを伝えていただろうか？

図表5-8　職場ミッションは部下に自信と誇りを与えるものだったか？

第5章:マネジメント活動の評価

補足知識　職場ミッションを明確にするには

　もし職場ミッションを明確にしていないのならば、自職場の貢献対象、貢献内容、貢献方法を切り口として考えてみるとよいだろう。3つの切り口から、「この職場は何のために存在するのか？」「存在意義は何なのか？」をゼロベースで問い直してみれば、職場のミッションを明確にできるだろう。

図表5-9　職場ミッションを明確にするには

貢献対象 ：ダレニ	自職場が貢献する対象は誰か。いわゆる"顧客"を問い直してみる。社内顧客もいることに注意しよう。 自職場の成果は、顧客のニーズがあってのものということを忘れてはならない。
貢献内容 ：ナニヲ	貢献対象のどのようなニーズに応えていくのか、自職場が提供すべき商品やサービスとは何かを問い直してみる。 自分たちが生み出す商品やサービスのクオリティーを高めることを意識しよう。
貢献方法 ：イカニシテ	商品やサービス提供のために必要となる自職場の技術や方法を問い直してみる。 他社と比べて競争優位を保てるか、貢献対象のニーズを満たせるかという基準で考えてみよう。

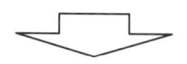

⬇

ある総務部門の職場ミッションの一例

・従業員に対して（貢献対象）
・組織への忠誠心や愛着が高まるような環境を提供する（貢献内容）
・オフィス環境の整備や福利厚生を充実させることによって（貢献方法）

3. 職場ビジョンを共有していたか？

> **評価項目**
> □ 職場ビジョンを問い直したか？
> □ 職場ビジョンには自分の想いを反映したか？
> □ 職場ビジョンを部下や関係者と共有したか？

(1) 職場ビジョンを問い直したか？

　期首のマネジメント活動では、職場のビジョンを描き出し、部下と共有することも必要である。職場のビジョンとは、職場のあるべき姿のことで、職場が中長期的に目指す到達イメージともいえる。

　何の方向性もない中で、人は何かに努力を傾けることはできない。方向性が示され、それを共感し受け入れることによって、初めて人はその実現に向けて努力していこうとするものである。そのため、マネジャーには、職場をどのようにしていきたいか、どんな職場であるべきかを職場ビジョンとして部下に示すことが求められる。

　一般にマネジャーは、目先の目標達成に目を奪われ、どうしても当面の活動にばかり注力してしまう傾向がある。結果として、中長期的な視点での活動がおろそかになってしまいがちだ。しかし、マネジャーの役割は、当期の短期的成果だけを上げることではない。将来も成果を上げ続けられるよう、中長期な視点から競争力のある職場をつくっていくことも忘れてはならない。

　したがって、マネジャーは少なくとも期の初めには職場ビジョンを問い直してみる必要がある。さて、あなたは期首に職場ビジョンを問い直していただろうか？

(2) 職場ビジョンには自分の想いを反映したか？

あなたはマネジャーとして、何を成し遂げたいと考えているだろうか？ その立場と役割を通じてどんなことを実現していきたいのだろうか？ 職場のビジョンは、マネジャーであるあなた自身の想いが反映されたものでなければならない。どんなにきれいでわかりやすく表現しても、そこに想いが込められていなければ、部下の共感や納得を引き出すことはできないからである。マネジャーとしての主体的な問題意識を、思い切って前面に出してみるのもよいだろう。あなたは、職場ビジョンに自分の想いを反映できていただろうか？

図表5-10　職場ビジョンには自分の想いを反映したか？

(3) 職場ビジョンを部下や関係者と共有したか？

　職場ミッション同様、職場ビジョンも職場内で共有しなければならない。しかし、決定事項としていきなり提示しても、それは簡単には受け入れられないものである。キャリアのある部下ほど、その傾向は強いだろう。また、職場ビジョンがマネジャー個人の好みや思いつきのようなものであった場合には、部下の共感を呼ぶことはできないし、十分なコミットメントを得ることもできない。このような状況を回避するためには、職場ビジョンを問い直し、まとめていく段階から、部下を参画させて議論を重ねるといった工夫も求められる。

　職場ビジョンは部下の共感を得て受け入れられることで、初めてその役割を果たすことになる。部下の共感を得られれば、その実現に向けて職場の力を結集することが容易になり、効果的なマネジメントを展開できるようになるはずである。さて、あなたは職場ビジョンを部下と共有できていただろうか？

　また、職場ビジョンをまとめる際には、上司や関係者を巻き込むことも必要だ。職場ビジョンをまとめたら、上司や関係者に開示し、アドバイスを求めてみるとよいだろう。そうすることで、職場ビジョンの妥当性を検証することができるし、その後の協力を得ることも可能になる。

　なるべく多くの関係者の合意を得ることで、職場ビジョンの実現可能性は高まることになる。したがって、上司や関係者にも積極的に開示していく方が得策である。

補足知識　職場ビジョンをまとめるには

もし職場ビジョンをうまくまとめられなかったならば、図表5-11に示す「職場ビジョンをまとめるポイント」を参考にしていただきたい。

図表5-11　職場ビジョンをまとめるポイント

①環境の変化を考える	自職場を取り巻く環境がどのように変化し、その変化が自職場にどのような影響を及ぼすかを把握する。変化にはすでに起きている変化だけでなく、これから起きるであろう変化を予測することが重要である。 現場のリーダーとして、変化を把握し、どのように対応すべきかを主体的に考える。
②自職場のこれからのミッションを考える	職場全体のミッションを管理者の立場で考える。唯一絶対の正解があるということではなく、自らの意思で打ち出していくものである。 自職場が果たすべきミッションは、多種多様なものが考えられるが、大事なことは、今後どのようなミッションを中核的なものにしていくかということである。経営環境が大きく変化する中で、求められる職場ミッションも変化することが想定される。
③上下のビジョンを受け止める	経営ビジョンや上位組織のビジョンを確認し、それに貢献するにはどのような対応が必要かを考える。併せて、メンバーのキャリアビジョンも把握・確認し、それを支援することを考える。ただし、これらのビジョンが常に明確になっているわけではなく、日々のコミュニケーションを通じて「想い」を把握する。
④自分の想いを整理する	以上の視点から、「では自職場のビジョンはどうあるべきか」を徐々に鮮明にし、自職場の中長期的な到達イメージを整理する。自分の想いとして以下のような内容でまとめる。 ・このような成果を上げられる職場にしたい ・こんな仕事に取り組む職場にしたい ・こんなことを大切にする職場にしたい ・こんなことに自信をもつ職場にしたい ・こんな人材を育成する職場にしたい

⇩

ある営業部門の職場ビジョンの一例

・お客さまの満足と信頼につながるような営業活動ができている。
・全員が当社の製品とサービスに誇りをもち、自信をもってお客さまに提案できている。
・新顧客管理システムを活用した効率的な営業展開ができている。

（出典：通信研修「ケースで学ぶ目標による管理の実際コース」テキスト、学校法人産業能率大学発行）

4. 職場の課題形成は正しくできていたか？

> **評価項目**
> □問題発見の方法は適切だったか？
> □重点主義で課題を設定していたか？
> □職場課題は周囲からのニーズに対応したものだったか？

(1) 職場の課題とは

　職場目標を設定するにあたっては、その前提として職場の課題を形成する必要がある。課題とは、解決に取り組むと決めた問題やテーマのことである。つまり、職場の課題とは、職場に存在するいくつもの問題の中からマネジャーが取り組みの意思決定をしたものを指す。

　職場の課題形成は、以下の手順で行う。

> ①「あるべき姿と現在の状態とのギャップ」を確認し、何が問題なのか、なぜ問題なのかを明らかにする（問題発見）
> ②そのギャップを埋めるために何をなすべきかを考え、マネジャーの意思で取り組むべき課題を決定する（課題設定）

(2) 問題発見の方法は適切だったか？

　問題とは、あるべき姿と現状の姿とのギャップを指す。ギャップとは不都合や不具合のことを意味しており、問題意識が高く、あるべき姿を高く描く人ほどギャップ（問題群）も多くなる。

　すでに目の前で起こっている不都合な現象を見れば、誰もが「こ

れは問題だ」と感じ取ることができる。しかし、ここでマネジャーが行うべき問題発見は、意図的に先の状況を見越して問題を創り出すことである。当面は何の問題もなくても、「このまま行くと数年後にはこういう不都合が起こってくるのではないか」という先読みである。マネジャーには中長期的により競争力のある職場をつくっていくことが求められるのだから、こうした思考態度は重要である。

さて、お気づきの方もいるだろうが、期首の課題形成における「あるべき姿」とは職場ビジョンのことである。つまり、職場ビジョンと現状の職場を比較すれば、職場の問題が明らかとなる。さて、あなたは期首にこのような視点で問題発見を行っただろうか？

図表5-12　期首にマネジャーが行うべき問題発見

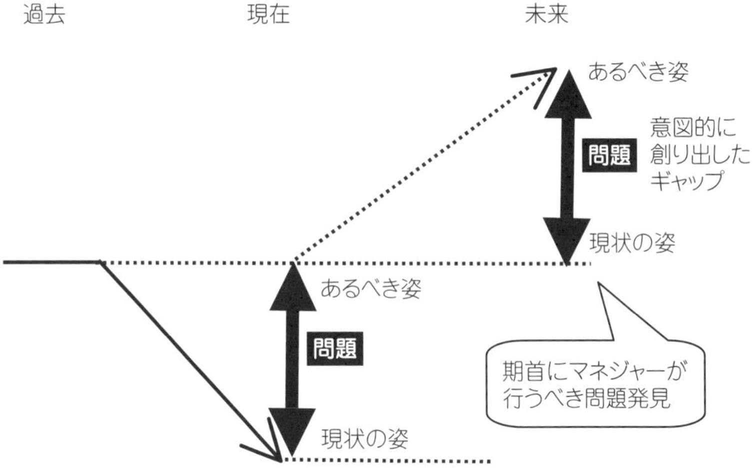

(3) 重点主義で課題を設定していたか？

　職場ビジョンと現状の職場を比較すると、おそらく無数の職場の問題を発見することができる。しかし、これらの問題群すべてに手を打つことは不可能だ。そこで、重点主義でこれらの問題に優先順位をつけていくことになる。その優先度の高いテーマが職場の課題として設定すべきものである。

　あなたは、このように重点主義で課題を設定していただろうか？

(4) 職場課題は周囲からのニーズに対応したものだったか？

　職場ビジョンと現状の状態を比べ、ビジョン実現のために何をなすべきかを考えて決定したものが職場の課題である。さらに、これらの課題を解決するために、職場目標が設定されることになる。つまり、職場の課題形成というプロセスは、職場ビジョンと職場目標をつなぐ役割を果たすことにもなる。

　ところが、いざ職場目標を設定しようとすると、設定した職場課題に漏れがあったり、上位方針や職場環境のニーズとアンマッチの課題を設定してしまっていることもある。そこで、職場課題を設定する際には、図表5-13に示すように、職場ビジョンを検討したときに集めたさまざまな情報を書き出してみることが大切だ。

　これらの情報を書き出した上で課題を検討すれば、周囲からのさまざまなニーズに対応した職場課題を設定することができる。

　あなたが設定した職場課題は、周囲からのニーズに対応したものになっていただろうか？

第5章：マネジメント活動の評価

図表5-13 職場課題検討シート（着眼点記載事例）

上下のビジョン

【トップ方針、上長の方針】
・トップ方針の確認はできているか？
・上位組織のビジョン、課題は？
・上司の方針（組織目標）は？

【部下の想い、キャリアビジョン】
・部下の仕事や職場への想いは確認できているか？
・部下の考える職場の将来の課題を確認できているか？
・部下のキャリアビジョンを確認できているか？

職場ミッション

【自職場の存在意義】
・自職場が働きかける対象（顧客）は変化していないか？
・自職場が顧客に対して提供すべき商品やサービス内容はこれまでどおりでよいのか？
・商品やサービスを提供するための技術を前進、革新させなくてもよいのか？

職場ビジョン

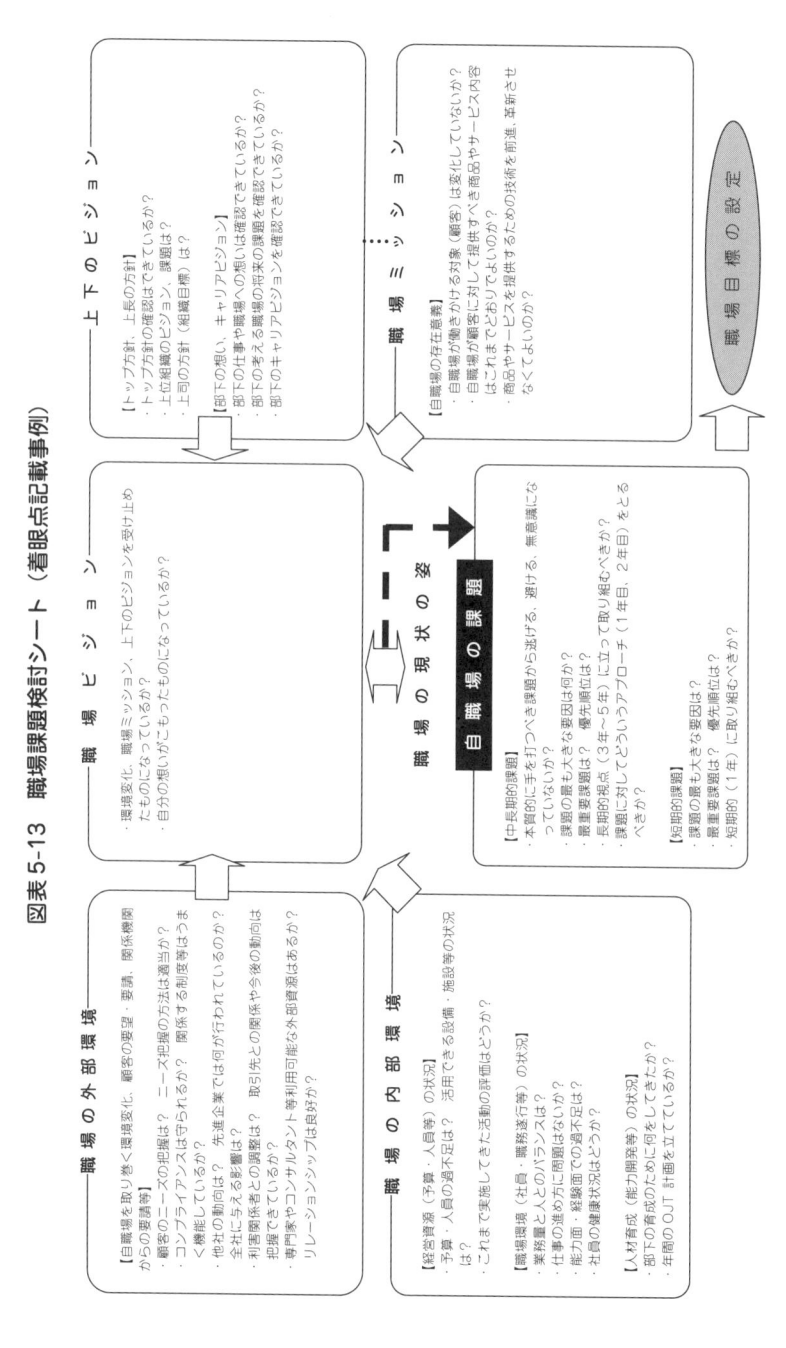

・環境変化、職場ミッション、上下のビジョンを受け止めたものになっているか？
・自分の想いがこもったものになっているか？

職場の外部環境

【自職場を取り巻く環境変化、顧客の要望・要請、関係機関からの要請等】
・顧客のニーズの把握は？ニーズ把握の方法は適当か？
・コンプライアンスは守られるか？関係する制度等はうまく機能しているか？
・他社の動向は？先進企業では何が行われているか？
・全社にも与える影響は？
・利害関係者との調整は？取引先との関係やや今後の動向は把握できているか？
・専門家やコンサルタント等利用可能な外部資源はあるか？リレーションシップは良好か？

自職場の現状の課題

職場の内部環境

【経営資源（予算・人員等）の状況】
・予算・人員の過不足は？活用できる設備、施設等の状況は？
・これまで実施してきた活動の評価はどうか？

【職場環境（社員、職務遂行等）の状況】
・業務量と人とのバランスは？
・仕事の進め方に問題はないか？
・能力面、経験面での過不足は？
・社員の健康状況はどうか？

【人材育成（能力開発等）の状況】
・部下の育成のために何をしてきたか？
・年間のOJT計画を立ててできているか？

自職場の課題

【中長期的課題】
・本質的に手を打つべき課題から逃げる、避ける、無意識になっていないか？
・課題の最も大きな要因は何か？
・最重要課題は？優先順位は？
・長期的視点（3年～5年）に立って取り組むべきか？
・課題に対してどういうアプローチ（1年目、2年目）をとるべきか？

【短期的課題】
・課題の最も大きな要因は？
・最重要課題は？優先順位は？
・短期的（1年）に取り組むべきは？

職場目標の設定

5．職場目標の設定は正しくできていたか？

> **評価項目**
> □中長期の視点から職場目標を設定したか？
> □上位目標と連鎖した職場目標を設定したか？
> □職場目標に部下の合意を得たか？

（1）中長期の視点から職場目標を設定したか？

　職場の課題には、数か月で解決できそうなものから数年かけて解決するようなものまで、実にさまざまなものがある。そこで、それらの課題をどのようなスケジュールで解決・遂行していくかを計画化し、短期から中長期の職場目標を設定することになる。つまり、職場ビジョンの実現を目指し、そこから逆算で組織目標を設定するのである。いわば、期ごとのマイルストーン*として目標を設定することになる。

　その際、将来の課題解決に向けた先行・試行の取り組みも、当期の目標に取り込むようにする。継続的に職場の成果を上げていくためには、将来から逆算して必要となるテーマを前倒しで目標化することも大切である。

　このように職場ビジョンの実現に向けた道筋を期ごとのステップとして目標化することで、中長期の視点から職場目標を設定することができる。あなたは、このような目標設定ができていただろうか？

＊ 仕事の推移の一段階を示すしるしとなるもの。里標。

（2）上位目標と連鎖した職場目標を設定したか？

　一方で、職場目標は組織目標と連鎖させる必要がある。上位目標と職場目標を連鎖させ、さらに個人目標に連鎖させることで、部下一人ひとりの目標達成が組織全体の目標達成につながるようにしなければならない。あなたは、上位からの目標と職場課題にうまく折り合いをつけて、職場目標を設定できていただろうか？

（3）職場目標に部下の合意を得たか？

　職場目標は、部下個々の目標のベースとなるものである。したがって、「なぜこれが職場の目標なのか」「何をどのようにして成し遂げるのか」ということを部下に十分理解・納得させることも必要である。

　最終的にはマネジャーの責任で決めることになるが、部下をその検討プロセスに参画させたり、意見を吸い上げながら設定することが大切だ。あなたは、職場目標に部下の合意を得ていただろうか？

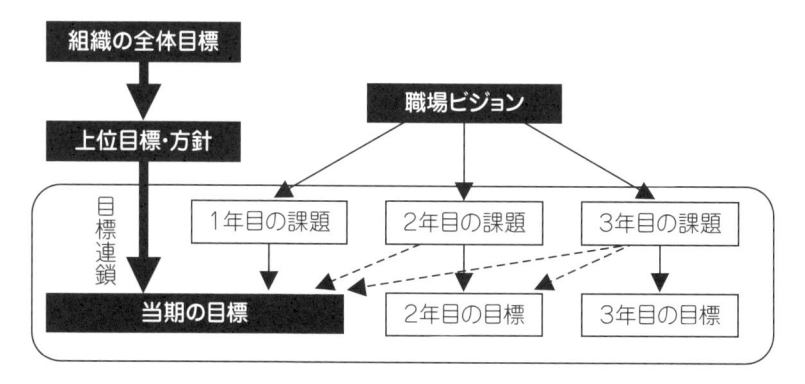

図表5-14　職場目標設定の流れ

6. 部下の目標設定をリードできていたか？

> **評価項目**
> □話し合いを通して目標を設定させたか？
> □部下の目標をチェックしてから承認したか？
> □目標達成に向けた知恵を出し合ったか？

(1) 話し合いを通して目標を設定させたか？

　目標を自己決定することは、動機づけにつながる。したがって、部下の目標設定は自主設定させることが原則である。しかし、実際には、マネジャーが部下に期待している目標テーマやレベルと、部下本人が考える内容が異なる場合がある。そうなると、やはり十分な話し合いを通じて、お互いが考えている内容をすり合わせることが大切になってくる。

　実務的には、マネジャーが職場ビジョンや上位目標・方針、職場課題・目標などについて説明した上で、部下各人に期待する目標テーマやレベルを提案する。その上で十分な話し合いを行って、部下に目標記述書を提出させるという手順が一般的である。部下の目標へのコミットメントを確保するためには、効率性に配慮しながらも部下の主体的参画にもとづいた目標設定にしなければならない。あなたは、このように話し合いを通して、部下に目標を設定させただろうか？

(2) 部下の目標をチェックしてから承認したか？

　部下の目標設定においては、本人が記述した目標の内容をよく理

解した上で、「ここはよく記述できている」「この部分は、○○の理由で弱い」といったように的確な指導を行うことも重要である。マネジャーは、目標の"目利き"ができなければならない。部下の目標を安易に承認するのでなく、何度も差し戻して修正を指示するぐらいでよいのだ。

　単なる手続きとして目標記述書を記入させているようでは、部下の頭の中に目標は刻まれない。真剣で誠実に目標を仲立ちに部下と向き合う上司の姿勢が、部下を真剣に目標に立ち向かわせることになるし、仕事のクオリティーを着実に向上させることになる。また、その姿勢は、後の評価の納得性、信頼性につながることにもなる。あなたは、部下の目標記述書を安易に受け取らず、しっかりチェックしてから承認していただろうか？

（3）目標達成に向けた知恵を出し合ったか？

　目指すゴールが明確になったとしても、実際にどういう切り口やアイデアで達成するかという道筋が見えなければ、目標への達成意欲はわいてこない。新規性や革新性の高い目標であればあるほど、部下本人はもちろん、上司にも達成の方策が見えないケースが多いだろう。

　そのためマネジャーは部下と共に目標達成のパートナーというスタンスで、協力して知恵を出し合うことも必要だ。この場合には、上司と部下の1対1の面談形式にこだわらず、職場全体でミーティング形式のオープンな話し合いをするのも効果的である。

　あなたは、目標達成に向けた知恵を部下と出し合っていただろうか？

補足知識　よい目標を設定するためには

■ 目標は重点主義で設定する

　部下に自主的に目標設定案をつくらせると、あれもこれもと実に多くの目標をあげてくることがある。やる気があってよいことなのだが、このようなときには目標を絞るよう、マネジャーがしっかり指導しなければならない。日常的に忘れずに意識していられる目標の数は限界がある。それに、目標の数が多すぎると、達成のためのパワーが分散してしまい、結局、なにひとつできなかったという結果になりかねない。個人の目標の数は2～5つが適切である。

　自分が担当している職務のすべてに目標設定をしなければいけないと考えてしまう部下もいるようだが、もちろんこれは間違いである。職務とは「職場で遂行すべき仕事全体」を指すものであるのに対し、目標とは「一定期間に成し遂げるべき具体的成果や結果」を指す。職務分掌が各組織や部署の守備範囲（土俵）を定めた規定であるのに対して、目標はその土俵の上でどう戦いどういう成果を出すかを具体的に表現したものである。

　したがって、目標を記述する際には職務そのものを書くのでなく、職務全体の中で何に重点を置いて、それをどのレベルまで向上させるのかを表現する必要がある。目標は、「より重要な職務を、より良い状態にもっていく」という考え方で設定するものである。

■ よい目標を設定するためのチェックポイント

　目標の重点化について述べたが、部下がよい目標を設定するためにはこのほかにも留意すべき点がいくつかあるので、図表5-15に示しておく。

部下が設定した目標をこれらの項目で点検してみるとよいだろう。そして、もし設定した目標内容に不十分なところがあれば、しっかりと指導してほしい。なぜ不十分なのか、どのように修正すればよいのか、アドバイスした上で差し戻すことである。それをくり返すことで、部下はより良い目標を立てられるようになるはずである。

図表5-15　よい目標を設定するためのチェックポイント

- ☐ 上位目標に結びついているか
- ☐ 重点化されているか（2～5つくらいの目標に抑える）
- ☐ ウエートづけされているか（優先順位が明示されているか）
- ☐ 達成すべき成果が具体的に示されているか
- ☐ 本人の意思が反映されたものか
- ☐ 努力すれば達成できるものであるか（各人の能力をやや上回り、努力して達成できるものであるか）
- ☐ 長期と短期のバランスが考えられているか（状況によっては、どちらかにウエートをかけることも必要）
- ☐ 最適水準で考えられているか（状況に応じて目標間のバランスが図られているか）
- ☐ 協働目標で連携が図られているか、他部門との連携を考慮してあるか、関連し合う他の目標との調整はできているか

（出典：通信研修「ケースで学ぶ目標による管理の実際コース」テキスト、学校法人産業能率大学発行）

第3節 期中のマネジメント活動を評価する

1. 期中にマネジャーがすべきこと

（1）期中のマネジメント活動の必要性

　マネジャーは、現実には職場のすべての職務を管理することはできない。そうであれば、業績向上のためのツボを押さえて、部下や仕事の管理を行うことになる。そこで、目標を重要成果と意味付けて、それを重点主義で管理をしていこうというのが"目標による管理"である。そして、目標による管理は現代の組織におけるマネジメントの中心的な役割を担っている。

　ところが、遺憾ながら今日の目標管理は、"成果評価のツール"として受け止められていることが多い。本来、目標を重要成果と意味付けたならば、それを重点主義でマネジメントしていかなければいけないが、期中においてそのようなマネジメントが機能していないのである。

　春に種を蒔いただけでは、植物は実をつけない。定期的に水や肥料を与えなければならない。時には周囲の雑草を抜き、時には害虫や病気の処理をすることだって必要だ。植物によっては、支柱で支えたり、枝葉の剪定もしなければならない。そういった管理をすることで、やがて大きな実をいくつも実らせることになる。

　ただ見ているだけでも、「いったいいつ実をつけるのだ？」と問うてみたところでやはり実は成らない。もし、実をつけたとしたら、それは苗の強さや、土壌や天候といった環境の良さのおかげでしかない。よい管理をしていれば、もっと大きなより多くの実を収穫で

きたはずなのである。

　マネジメントも同様ではないだろうか。目標を設定しただけでは、成果は期待できない。期中に適切なマネジメントを実践することで、大きな成果を手にすることができるのだ。

(2) 期中のマネジメント活動の評価ポイント

　では、期中にはどのようにマネジメントを実践すればよいのだろうか？　本書では、図表5-16に示す5つをポイントとして示しておく。目標を中心とした重点主義でこれらのポイントを押さえてマネジメントを実践していれば、よい成果を手にできるだろうし、部下の成長にも寄与できるだろう。

　さて、あなたはこれらのポイントを押さえてマネジメントをしているだろうか？　これまでの活動プロセスを振り返ってみるとよいだろう。前節同様、これら一つひとつを取り上げて、自分のマネジメント活動を評価していこう。

図表5-16　期中のマネジメント活動のポイント

□ **進捗管理**はできていたか？
□ **問題への対処**は適切だったか？
□ **報告・連絡・相談**は適切になされていたか？
□ **部下指導・育成**は適切だったか？
□ **チームワーク**を引き出していたか？

2．進捗管理はできていたか？

> **評価項目**
> ☐計画に基づいた進捗管理ができたか？
> ☐適切なフィードバックはできていたか？
> ☐進捗に問題があったとき、効果的な支援ができていたか？

(1) 計画に基づいた進捗管理ができたか？

　前述のとおり、目標設定や仕事の割り付けさえすれば、後は部下にお任せというわけにはいかない。たとえどんなに優秀な部下であっても、マネジャーにはその仕事の進捗を管理する責任がある。
　部下の仕事の進捗を管理するには、まず部下と相談して目標達成活動の計画を共有する。その上で、計画表を作成し要所要所にチェックポイントを設定し、定期的に確認する方法が効果的である。あなたは、このような計画に基づいた仕事の進捗管理ができていただろうか？

(2) 適切なフィードバックはできていたか？

　進捗確認の際には、「できている、できていない」といった状態の確認だけでなく、なぜそのような状態にあるのか、今後の進め方や意向も部下に質問し、その説明に耳を傾けるようにする。
　その上で、計画どおりにいっているときには褒め、そうでないときには必要により叱るといったフィードバックが必要だ。あなたは、そのようなフィードバックができていただろうか？

（3）効果的な支援ができていたか？

　もし、部下の仕事が計画どおりに進捗していない場合には、一緒に原因を確認し、その対策を考えて軌道修正を図らなければならない。十分に話し合い、アドバイスやマネジャーとしてできる支援を行うようにする。

　部下に仕事を完遂させるために、あなたはこのような支援ができていただろうか？

図表5-17　目標達成活動の計画表の例（新商品の業務マニュアル製作）

作業内容 マニュアル作成	日程					
	5月	6月	7月	8月	9月	10月
1. 現状分析						
1.1 現場へのヒアリング	⇔					
1.2 新商品情報の収集	⇔					
2. 改善案の作成						
2.1 業務フローの作成		⇔				
2.2 必要情報の設定		⇔				
3. マニュアルの企画						
3.1 全体構成		⇔				
3.2 デザイン			⇔			
4. マニュアルの執筆						
4.1 原稿執筆			⇔			
4.2 作図・イラスト			⇔			
4.3 校正				⇔		
5. 印刷						
5.1 印刷業者発注					→	
5.2 PDFの作成					→	
6. 配布						
6.1 現場への告知						
6.2 完成品発送						
6.3 PDF配布						
7. 教育						
7.1 教育の計画						→
7.2 教育の実施						→
7.3 教育の評価						→

　‥‥‥▶　上段矢印：予定
　◀―――　下段矢印：実績

（出典：通信研修「実践プロジェクトマネジメントコース」テキスト、学校法人産業能率大学発行）

3. 問題への対処は適切だったか？

> **評価項目**
> □原因をしっかり解明し、今後の対策を講じたか？
> □早期に関係者への報告ができたか？
> □職場で情報を共有したか？

(1) 原因をしっかり解明し、今後の対策を講じたか？

　仕事を進める中で部下が困難な問題に直面したときには、当然、マネジャーはその支援を行わなければならない。

　クレーム、業務ミス、計画の遅れといった問題が生じた場合には、まず問題の本質的な原因をしっかり解明する必要がある。部下から報告されたことをそのまま鵜呑みにするのではなく、問題の状況に関する情報をできるだけ引き出し、現場を直接確認するなど、部下と一緒に事実を正しく確認する姿勢が大切である。

　事実を確認したら、どこに原因があるのかを探る。原因は複数ある場合もあるし、新たな問題のリスクが見えてくる場合もあるので、広い視野でしっかり解明することが肝心である。

　原因が解明できたら、再発防止を目指した対策を立案する。その際、職場のメンバーや関係者の意見も求めるとよいだろう。あげられた対策を、誰が、いつまでに実施するかをしっかり決めることも忘れてはならない。

　あなたは、このような手順をしっかり踏んで、問題への対処をしていただろうか？

（2）早期に関係者への報告ができたか？

問題が発生した際には、早期に上司や関係者に報告を行うようにする。報告が遅れたために問題が複雑になってしまったり、新たな問題を誘発してしまうようなことは避けなければならない。

いうまでもなく、顧客からのクレームの場合には、特に早急に報告と謝罪が求められる。あなたは、早期に関係者への報告ができていただろうか？

（3）職場で情報を共有したか？

問題解決の後には、職場でこれらの情報をしっかり共有するようにする。文章として記録を残すことはもちろん、ミーティングの機会に話し合うことで職場の学習を促進し、さらなる再発防止を徹底する。あなたは、そのような行動ができていただろうか？

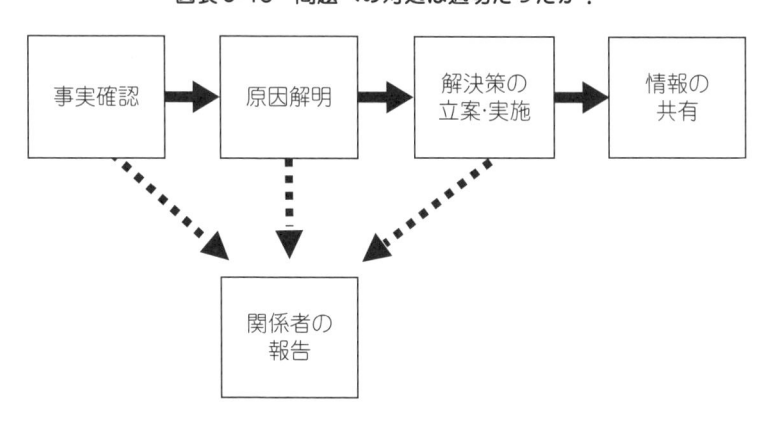

図表5-18　問題への対処は適切だったか？

事実確認 → 原因解明 → 解決策の立案・実施 → 情報の共有

関係者の報告

4．報告・連絡・相談は適切になされていたか？

> **評価項目**
> □適時の報告がなされていたか？
> □積極的に連絡し合う職場づくりができていたか？
> □積極的に相談し合う職場づくりができていたか？

(1) 適時の報告がなされていたか？

　組織で仕事を進めていくためには、報・連・相が欠かせない。なかでも報告は仕事の基本中の基本だ。職場のマネジメントを円滑に遂行するためにも、マネジャーは報告が義務であることを部下に徹底しなければならない。特にトラブルの発生やクレームなど悪い報告ほど、早く上司にあげるように指導することが大切である。

　ただし、もし悪い報告が遅れてなされるようなことがあったら、マネジャーは部下を指導するだけでなく、自分の普段の態度に問題がなかったかを考える必要がある。

> ・ミスをした部下を必要以上に叱責する。
> ・忙しいのだから、くだらないことをいちいち報告するなという態度を見せる。
> ・部下から報告がほとんどなされなくても、何の指導もしない。

　普段からそういった態度をとっている上司には、部下は悪い報告をすることを躊躇したり、報告しなかったりするものだ。あなたには、部下から適時の報告がなされていただろうか？

（2）積極的に連絡し合う職場づくりができていたか？

情報化社会といわれて久しい今日では、組織内でいかに情報を効率的に共有するかということが、仕事を進める上で重要となっている。有益な情報の有無が、職場の成果を左右することもある。したがって、職場内外に有益な情報が迅速に流通するよう、部下に積極的に関係者と情報交換するよう指導する必要もある。あなたは、部下が積極的に連絡し合う職場づくりをしていただろうか？

（3）積極的に相談し合う職場づくりができていたか？

問題を抱えたとき、困ったときに相談できる相手がいる職場とそうでない職場では、部下の仕事のスピードや質に差が出てくる。さらに、それは部下の能力開発にも影響するだろう。

何もマネジャー一人があらゆる案件の相談相手になる必要はない。要は、皆がお互いに相談し合える職場になっていればよいのである。あなたは、そんな職場づくりができていただろうか？

図表5-19　報告・連絡・相談は適切になされていたか？

5. 部下の指導・育成は適切だったか？

> **評価項目**
> □適切な権限委譲ができていたか？
> □部下に新たな課題を与えていたか？
> □コーチングの技術を活かしていたか？

(1) 適切な権限委譲ができていたか？

　現代のマネジャーには、部下を育てながら成果を出すことが求められている。仕事を進める中で、いかに部下の指導・育成をしていけるかが問われているのである。

　そのための手段として最も意識しておきたいのが、部下への「権限委譲」である。権限委譲とは、マネジャーが自分の権限を適切な範囲で部下に委譲して仕事を任せることである。それによって、部下は仕事に自由裁量の余地（権限）をもち、主体的に考えて行動することになる。

　つまり、部下が自分の発意や判断によって自己決定しながら仕事を進めることになるので、結果的に能力開発が図れるというメリットがあるわけである。権限委譲は組織活動の効率化のためだけでなく、部下の育成を図るためにも有効なのだ。

　ただし、マネジャーはどこまで権限を委譲すべきか、個々の部下の状況や能力に応じて熟慮して決める必要がある。あなたは、このようにして適切な権限委譲をしていただろうか？

（2）部下に新たな課題を与えていたか？

　自ら学ぶ人材に育てるには、継続的に新たな課題を与えることが大切である。意欲のある部下なら、「自分はもっとできるはずだ」「もっとレベルの高い仕事がしてみたい」という気持ちをもっているはずである。そういう部下には、ひとつのことを成し遂げたら、また次の課題を与えていくことが能力開発につながっていく。

　あなたは、そのように部下に新たな課題を与えていただろうか？

（3）コーチングの技術を活かしていたか？

　コーチングとは、「相手の潜在能力を引き出し、主体的、自発的な行動を促す育成のための手法」で、「発問」「傾聴」といった行為をくり返しながら、部下が解を見つけだす支援をするものである。

　「発問」とは、たとえ自分が答えを知っている場合であっても、あえて相手に考えさせ、気づいてもらうことを目的に工夫して問いかける技術である。そして、「傾聴」とは、相手ときちんと向き合い、あいづちなどを打ちながら、話を最後まで理解しようとする聴き方のことだ。話の内容だけでなく、相手の感情までも理解しようとして聴くのである。

　これらの技術は、「部下は、そもそも主体的に問題を発見し、解決できる能力をもっている」という前提で、それを上手に引き出すように働きかけることがポイントになる。うわべだけのテクニックとして活用してもあまり効果は上がらないので、部下に対して興味関心をもつことが求められる。マネジャーとしては、メンバーの自己成長の力を信じて、それを側面から引き出すよう、支援することが必要となるのだ。あなたは、このようなコーチングの技術を活かして部下を指導していただろうか？

6. チームワークを引き出していたか？

> **評価項目**
> □職場ミッションを適宜、確認していたか？
> □部下と協力して新たな課題にチャレンジしていたか？
> □チームワークの発揮を称賛していたか？

(1) 職場ミッションを適宜、確認していたか？

　職場の成果を上げていくためには、チームワークをうまく引き出すことも必要である。部下同士が協力しなければ遂行できない課題、協力し合えばより良い成果が期待できる課題は、どの職場にもあるだろう。ところが、近年では、個々の部下は優秀なのに力が分散して成果をうまく生み出せない職場が珍しくないようだ。

　こうした状況を憂いて、飲み会や会食などのレクリエーションを実行することで職場のコミュニケーションをよくしようと考えるマネジャーもいるようだが、これは親交を深めるためには意味のあることだが、チームワークをよくすることに直接は貢献しない。

　集団がまとまってチームワークを発揮するためには、まず「共通の目的」が必要となる。これがない限り集団がまとまることはない。そして、職場における共通の目的とは「職場ミッション」である。したがって、チームワークが発揮されない職場では、職場ミッションを徹底することが第一に求められる。部下一人ひとりが職場ミッションを純粋に達成したいと考えるようになれば、職場全体が力を合わせられるはずである。マネジャーとしては、ミーティングや面談の際に、職場ミッションを部下に、適宜、確認することが重要で

ある。

　もし、それでもチームワークが発揮されないのであれば、皆で職場ミッションを見直してみるとよいだろう。さて、あなたは、職場ミッションを適宜、確認していただろうか？

(2) 部下と協力して新たな課題にチャレンジしていたか？

　チームワークは仕事を通して生み出され、集団に根付いていくものである。その意味では、新たな課題を設定して部下と協力して取り組むことも効果的である。新たな課題が共通の目的となり、おのずとチームワークが発揮されることになるだろう。もちろん、これは個別のプロジェクトとして特定のメンバーで取り組むことも可能だ。

　あなたは、期中にそのような試みをしてみただろうか？

(3) チームワークの発揮を称賛していたか？

　一般に成果主義人事制度の下では、仕事のすき間を埋めたり、ほかのメンバーを助けるといったチームへの献身的な活動よりも、リーダーシップの発揮や、場合によってはスタンドプレーの方が評価されやすい。それらの方が、マネジャーが事実として確認しやすいし、部下も成果として表現しやすいからである。

　しかし、こういったチームへの献身的な活動は、絶やさないように配慮すべきである。そのため、マネジャーとしては、そういった活動に対しては、積極的に称賛のフィードバックを与えるべきだ。

　あなたは、そのような行動をとっていただろうか？

補足知識 PM型のリーダーを目指そう!

■□PM理論によるリーダーシップの類型

　リーダーシップの有名な研究に、"PM理論"*というものがある。PMの"P（p）"はパフォーマンスのことで、「仕事中心」「目標達成重視」で「課題を達成しようとする行動」を指している。"M（m）"はメンテナンスのことで、「部下中心」「人間配慮重視」で「集団を維持しようとする行動」のことである。

　PM理論では、リーダーシップはこのP（p）とM（m）の2つの行動で成り立っているとし、それぞれの行動の強弱によって図表5-20に示す4つの型にリーダーシップを分類している。そして、このマトリクスの右上部分、つまりPとM双方の行動を高度にとっているPM型が最も有効なリーダーシップであるとしている。

　さて、皆さんはどのタイプのリーダーシップを発揮しているだろうか？

■□M：「集団を維持しようとする行動」も欠かせない

　多くのマネジャーは、毎期、業績（成果）責任を問われている。よって、P：「課題を達成しようとする行動」は、多くの皆さんがしっかりとれているのではないだろうか。

　一方で、M：「集団を維持しようとする行動」の方はどうだろう。昨今では、業績（目標）達成の方にばかり目を奪われ、どうしてもMの行動が弱くなってしまっているマネジャーが少なくないようだ。しかし、メンタルヘルスやコンプライアンスなどの問題は、マネジャーのM：「集団を維持しようとする行動」が低下している

＊1984年に、社会心理学者の三隅二不二氏が提唱したリーダーシップの理論。

ために発生しているとも考えられるので注意が必要である。

マネジャーが職場マネジメントにおいて有効なリーダーシップを発揮するためには、M:「集団を維持しようとする行動」も欠かせない。マネジャーの皆さんは、パフォーマンスだけでなく、メンテナンスも高いPM型のリーダーを目指すようにしよう。

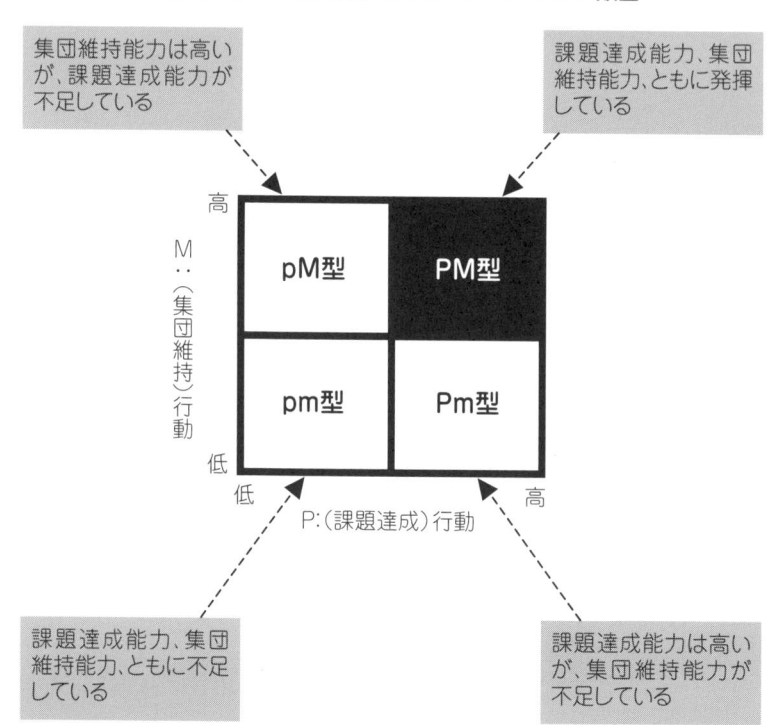

図表5-20　PM理論によるリーダーシップの類型

集団維持能力は高いが、課題達成能力が不足している → pM型

課題達成能力、集団維持能力、ともに発揮している → PM型

課題達成能力、集団維持能力、ともに不足している → pm型

課題達成能力は高いが、集団維持能力が不足している → Pm型

縦軸：M:(集団維持)行動（低～高）
横軸：P:(課題達成)行動（低～高）

("P(p)""M(m)"の文字は、高度に行っている場合には大文字、あまり行っていない場合には小文字で表されている)

第4節 職場マネジメントの高度化

1. 自己評価がマネジメント力を高める

(1) 活動を振り返って評価することが重要

　職場マネジメント活動を振り返って評価した結果は、どうだっただろうか？　「あの時は、もっとこうすればよかった」「このように指導すべきだった」といったように、自身の判断や対応についていろいろなことが思い出されたことだろう。また、P.181の「成功の循環」を参考に、「部下に『関係の質』を高める働きかけができていなかった」といった、より深い次元で自己評価をした方もいるだろう。

　このようにマネジャーが自分のマネジメント活動を振り返って評価することは、非常に重要なことである。振り返って評価することで、マネジメント活動の今後の課題が明らかになり、マネジメント活動の質を高めることができるようになるからだ。

　考えずに行動しているだけでは、進歩・向上はない。自らのマネジメント活動を振り返り、「頭で考える」ことが大切である。そして、それをくり返していくことで、あなたのマネジメント活動も進歩・向上していくことになるのだ。

(2) マネジメント力を高めるためには自己評価が欠かせない

　ところで、もしマネジャーがこういった自己評価を行わなかったらどうなるだろうか？　マネジメントの質に進歩・向上がなければ、職場の成果向上も部下の成長も期待できない。もし職場の成果が向

上し、部下が成長したとしたら、それは部下や環境のおかげでしかないと考えた方がよいだろう。

　したがって、マネジャーは部下の活動を評価するだけではなく、自らの活動も評価し、これによってマネジメント活動をレベルアップしていかなければならない。マネジメント力を高めるためには、自己評価が欠かせない。マネジメントというものは、「やりっ放し」では決して進歩しないのだ。これは、メンバーが上司や周囲の評価を受けて仕事ができるようになっていくのと同じことである。

図表5-21　自己評価がマネジメント力を高める

2. 評価とは継続的な成長のためにある

(1) 評価することの重要性

　人は経験から多くのことを学ぶ。しかし、経験さえすれば、学んでいることになるわけではない。図表5-22の経験学習モデルを見てほしい。人は行動を通して経験をする（具体的経験）。その上で経験を振り返って省察し（反省的観察）、「こうやればうまくいく」という自分なりの仮説を形成する（抽象的概念化）。そして形成した仮説を基に、よりレベルの高い行動を試みる（能動的実験）……。このサイクルをくり返して人は学習を重ねていくということを、経験学習モデルは教えてくれる。

　行動して経験するだけでは、学習にはならない。「反省的観察」をしっかり行い、自分なりの概念を形成するというプロセスを経ることで、人は学習したことになる。反省的観察を、「自分の活動を振り返って評価すること」と解釈すれば、人の学習プロセスにおいて、いかに「評価する」ことが重要であるかが理解できる。

(2) 評価のくり返しが継続的な人の成長を可能にする

　マネジャーの職場マネジメント活動においても、部下の職務活動においても、「評価」は非常に重要なファクターである。評価は活動の締めくくりであると同時に、次の行動をスタートさせるための重要な局面である。評価を通して得られた仮説や課題を次の行動に活かしてこそ、人は成長できる。そして、評価のくり返しが継続的な人の成長を可能にするのである。

　マネジャーも部下も、評価を通して成長していくといってもよいだろう。したがって、マネジャーには、職場マネジメント活動を定

期的に評価することで、職場マネジメント活動を継続的にレベルアップしていくことが求められている。また、部下の人事評価を実施することで、部下の活動を継続的にレベルアップさせていくことも求められている。マネジャーにとっても部下にとっても、評価とは継続的な成長のためにあるものなのだ。

図表5-22　経験学習モデル

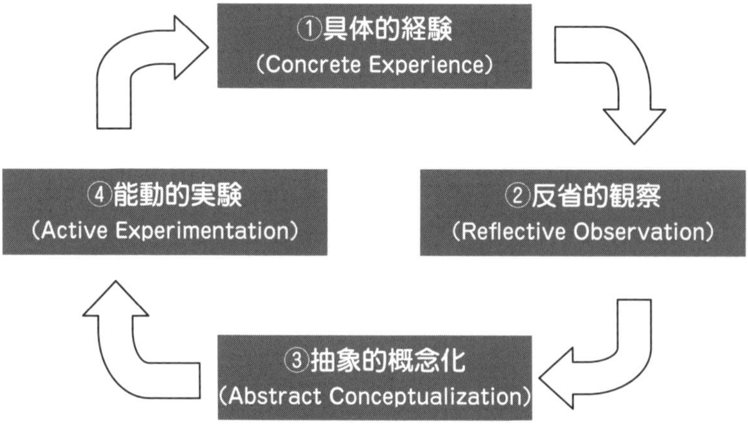

①具体的経験（Concrete Experience）
↓
②反省的観察（Reflective Observation）
↓
③抽象的概念化（Abstract Conceptualization）
↓
④能動的実験（Active Experimentation）
↑
①具体的経験へ戻る

（出典：赤尾勝己編『生涯学習理論を学ぶ人のために』世界思想社（2004）を参考に作成。経験学習モデルは、1984にD.A.コルブが提唱したもの）

補足知識　権力におぼれてはいけない

■ 人は役割に合わせて行動をとるようになる

　皆さんは、2002年に公開された『es（エス）』というドイツ映画を見たことがあるだろうか。大学の心理学の実験にアルバイトとして集められた男たちが、「看守役」と「囚人役」に無作為に分けられ、リアルにつくられた疑似刑務所でそれぞれの役を演じて過ごすという内容である。

　看守役は看守服を、囚人は囚人服を着用し、「囚人は看守の指示に従わなくてはならない」「囚人は看守に敬語を使わなくてはならない」といったいくつかのルールの下で生活を送ることになる。すると、日が経つにしたがって看守役は看守らしく、囚人は囚人らしくなっていった。看守役が囚人役に暴行を加えはじめ、お互いの対立はどんどんエスカレートしていく。そして……。

　この映画は、1971年にアメリカのスタンフォード大学で実際に行われた心理学実験での模様を元にしてつくられたものである。映画にはもちろんかなりの脚色が加えられているのだろうが、実際に行われた実験でも看守役は看守らしく、囚人は囚人らしくなっていったそうだ。この実験によって、人は特殊な地位を与えられると、その役割に合わせて行動をとるようになるということが証明されている。「地位」や「役割」が人格に与える影響は、私たちが思っている以上に大きいのである。

■ マネジャーには謙虚な姿勢が必要

　人は社長になれば社長らしくなるし、母親になれば母親らしくなるものである。それはマネジャーも同様である。どんな人でも、マ

ネジャーになればマネジャーらしく振る舞おうとするのは自然なことなのである。

ただし、"マネジャーらしさ"というものは、人によって異なる。
「マネジャーは地位が高いのであるから偉い」
「マネジャーは権威的であるべきである」
「マネジャーは職場では絶対的存在である」

もし、あなたがそんなマネジャー像を抱いているなら注意が必要だ。人は権力を与えられると、先ほどの看守役のように振る舞ってみたくなるものである。しかし、マネジャーの必要以上の権力の行使は、部下のやる気を阻害し、職場の生産性を低下させることになる。

マネジャーの皆さんは、その地位や役割のもつ権力におぼれてはいけない。その意味でも、マネジャーは部下を上から一方的に評価するだけでなく、自分の活動を振り返って評価してみることが大切である。権力をもつ者こそ、そういった謙虚な姿勢が求められるのである。

図表5-23　マネジャーには謙虚な姿勢が必要

参 考 文 献

『完全なる経営』A・Hマズロー／金井壽宏監訳、大川修二訳(日本経済新聞社)2001年
『入門から応用へ 行動科学の展開 新版』P・ハーシィ、K・H・ブランチャード、D・E・ジョンソン／山本成二、山本あづさ訳(生産性出版)2000年
『「やる気」アップの法則』太田肇(日経ビジネス人文庫)2008年
『承認欲求』太田肇(東洋経済新報社)2007年
『日本の人事査定』遠藤公嗣(ミネルヴァ書房)1999年
『目標による管理：MBO』今野能志(生産性出版)2005年
『産能大式機能する成果主義人事実践ガイド』産業能率大学総合研究所編(産業能率大学出版部)2005年
『バランス・スコアカード』ロバートS・キャプラン、デビッドP・ノートン／吉川武男訳(生産性出版)1997年
『新訳 現代の経営(上・下)』P・Fドラッカー／上田惇生訳(ダイヤモンド社)1996年
『ここが違う!「勝ち組企業」の成果主義』柳下公一(日本経済新聞社)2003年
『人事改革の法則』木名瀬武(日本経団連出版)2002年
『自己評価の心理学』クリストフ・アンドレ、フランソワ・ルロール／高野優訳(紀伊國屋書店)2000年
『成果主義の真実』中村圭介(東洋経済新報社)2006年
『実践!自治体の人事評価』中村圭介(ぎょうせい)2007年
『チームマネジメント』古川久敬(日経文庫)2004年
『人材マネジメント入門』守島基博(日経文庫)2004年
『宮大工の人育て』菊池恭二(祥伝社)2008年
『人事と出世の方程式』永井隆(日経プレミアシリーズ)2008年
『最新:目標による管理』幸田一男(産業能率大学出版部)1989年
『ビジョンガイドによる「目標による管理」』産能大学経営開発研究本部編（産能大学出版部)1995年
『「教え方」教えます』荒巻基文(産業能率大学出版部)2008年
『確実に成果を生み出す業務革新理論と実践』産業能率大学総合研究所編(産業能率大学出版部)2007年
『経営者の条件 新訳』P・Fドラッカー／上田惇生訳(ダイヤモンド社)2006年
『OD版 リーダーシップ行動の科学 改訂版』三隅二不二(有斐閣)2005年
『学習する組織』高間邦男(光文社)2005年
『生涯学習理論を学ぶ人のために』赤尾勝己編(世界思想社)2004年
『松下幸之助 日々のことば(上)』松下幸之助(大活字文庫)2007年
『マネジメントの心理学』中西晶(日科技連出版社)2006年
『マネジメント基礎力』中西晶／家田武文(NTT出版)2009年
『認め上手』太田肇(東洋経済新報社)2009年

索　引

【あ行】
異質性に基づく誤差　86
印象評価　64
衛生要因　137

【か行】
外発的動機づけ　142
寛大化傾向　78
期待要件　112
QCD　98、104
近接誤差　86
経験学習モデル　220
権限委譲　212
コーチング　213
コンピテンシー　24、39、122
コンピテンシー評価　24、38、110

【さ行】
自己成就予言　115
職能資格制度　34
職場の課題形成　194
職場ビジョン　190
職場ミッション　186
職場目標　198
職務　40
職務等級制度　40
ジョハリの窓　170
人材アセスメント　28

人材マネジメント　52
人材マネジメント戦略　30
進捗管理　206
人物評価　64、72
数値化可能性に基づく誤差　87
成果主義人事制度　36
成果評価　22、94
成功の循環　180
性差に基づく誤差　87
総合評価　68

【た行】
態度評価　20
対比誤差　82
中心化傾向　80
直近誤差　86
定性目標　98
定量目標　98
適正評価　28
動機づけ要因　137

【な行】
内発的動機づけ　142
年功序列制度　32
能力主義人事制度　34
能力評価　18、110

【は行】

バランス・スコアカード　108
ハロー効果　75、76
PM理論　216
PDSサイクル　8
評価エラー　75
評価項目　67
評価要素　26
評価ランク　67
フィードバック　144、146
フィードバック面談　158
ブレークダウン　100
分析評価　68、70
報・連・相　118、210

【ま・や・ら行】

目標による管理　103、182
役割等級制度　41
論理的誤差　84

執筆者紹介

● **佐藤　省蔵**（さとう　しょうぞう）

学校法人産業能率大学総合研究所　経営管理研究所　主幹研究員。
明治大学政経学部経済学科卒業。メーカー勤務を経て、学校法人産業能率大学に入職。

現在、人と組織の健全な発展をはかるという観点から、人事システムの構築、導入時教育、運用定着までの一連のコンサルティング活動を展開している。人事部サイドからではなく、運用主体者である職場マネジャーの視点から人事マネジメントをとらえ、その運用ノウハウの普及に努めているが、多くのクライアントから高い支持を得ている。
著作物多数。人材育成学会員。

● **高橋　衆一**（たかはし　しゅういち）

学校法人産業能率大学総合研究所　セルフラーニングシステム開発部　プロジェクトマネジャー。
法政大学経営学部経営学科卒業。

通信研修システム運用業務、研修アドバイザー業務を経て、現在、マネジメント、ビジネススキル領域等の教材開発業務に従事。主な開発コースに、「ケースで学ぶ目標による管理実践」「ケースで学ぶ人事考課実践」「職場で役立つリスクマネジメント実践」「人材開発を極める」等がある。

～お問い合わせ先～

（学）産業能率大学総合研究所　https://www.hj.sanno.ac.jp/

＊具体的なコンサルティングについて、より詳細な内容等をご希望される場合は、下記宛にご連絡いただければ幸いです。

> ・普及事業本部 マーケティング部 マーケティングセンター
> 　　　　　TEL 03-5758-5117

〔(学) 産業能率大学総合研究所　普及事業本部〕
　　第1普及事業部（東京）　　03-5758-5111
　　第2普及事業部（東京）　　03-5758-5114
　　第3普及事業部（東京）　　03-5758-5100
　　東日本事業部（東京）　　　03-3282-1112
　　　東北事業センター（仙台）　022-265-5651
　　中部事業部（名古屋）　　　052-561-4550
　　西日本事業部（大阪）　　　06-6315-0333

「SANNOマネジメントコンセプトシリーズ」について
"SANNOマネジメントコンセプトシリーズ"とは、マネジメントの総合教育・研究機関である（学）産業能率大学が、これまで研究活動とその実践で培ってきた（マネジメントの）諸テーマに関する理論（考え方）とその方法論について、実務に生かせる実践的ビジネス書としてまとめ、シリーズ化して刊行されたものです。

マネジャーのための人事評価実践
―"査定"のための評価から"職場マネジメント"としての評価へ―　〈検印廃止〉

編著者	（学）産業能率大学総合研究所 人事評価実践研究プロジェクト	2009,Printed in Japan.
発行者	坂本　清隆	
発行所	産業能率大学出版部	
	東京都世田谷区等々力6-39-15　〒158-8630	
	（電話）03（6432）2536	
	（FAX）03（6432）2537	
	（振替口座）00100-2-112912	

2009年 9月28日　初版 1刷発行
2024年12月10日　　　10刷発行

印刷所／渡辺印刷　製本所／協栄製本

（落丁・乱丁本はお取り替えいたします）　　　　　ISBN 978-4-382-05611-4
無断転載禁止